Ética para Celia

Ética para Celia

Contra la doble verdad

Ana de Miguel

Papel certificado por el Forest Stewardship Council®

MIXTO
Papel procedente de
fuentes responsables
FSC® C117695

Penguin
Random House
Grupo Editorial

Primera edición: junio de 2021
Sexta reimpresión: mayo de 2022

© 2021, Ana de Miguel
© 2021, Penguin Random House Grupo Editorial, S. A. U.
Travessera de Gràcia, 47-49. 08021 Barcelona

Printed in Spain — Impreso en España

ISBN: 978-84-666-6553-7
Depósito legal: B-6.670-2021

Compuesto en Llibresimes, S. L.

Impreso en Liberdúplex
Sant Llorenç d'Hortons (Barcelona)

BS 6 5 5 3 7

*Este libro está dedicado a mi comunidad, la humana.
Traigo un cuaderno de quejas y espero que se
puedan resolver rápido, la gente tiene una vida
que vivir y el planeta se está calentando.
Con mucho cariño,*

ANA

Índice

PRIMERA PARTE

DE LA ONTOLOGÍA Y POR QUÉ ES EL NÚCLEO

DURO DE LAS CREENCIAS

Y LAS CONTRADICCIONES QUE VIVES

SEGUNDA PARTE

DE LAS CONDICIONES DE LA VIDA BUENA

Si nos adiestramos en la libertad y en el coraje de escribir exactamente lo que pensamos...

VIRGINIA WOOLF,
Una habitación propia

Introducción

Ética para Celia, ¿una ética para chicas?

Este que tienes en tus manos es un libro de ética poco convencional, recoge las reflexiones que una filósofa, en la plenitud de su vida, con la sabiduría que aporta el estudio sosegado y la experiencia vivida, quiere compartir con su devocionada y díscola hija...

¡¡¡Riiiiing, riiiiing, riiiiing!!!

Espera, Celia, un momento, el móvil. ¡Callad de una vez!, que me están hablando. Pero ¿qué me está usted diciendo? Que qué interesante y oportuno este libro, escribir ahora un libro de *Ética para chicas*, ahora que está de moda el feminismo, un libro de ética feminista... Espere que no oigo nada, termino de recoger la mesa y le escribo.

Carta de la autora:

Permítame que le haga una pregunta: ¿se ha preguntado usted alguna vez si *Ética a Nicómaco*, el libro que Aristóteles, *el* filósofo, dedicó a su hijo era un libro para chicos? Pensó usted, por ejemplo, qué interesante, qué oportuno, un libro de *Ética para chicos*, ideal para estos dos mil y pico años de patriarcado.

Quiero decirle que si usted nunca ha pensado que *Ética a Nicómaco* fuera una ética para chicos no sé por qué no interpreta del mismo modo un libro de título *Ética para Celia*. Una ética para seres humanos.

Ética para Celia es un libro para chicas si y solo si *Ética a Nicómaco* es un libro para chicos. Porque soy filósofa y es un libro que le dedico a mi hija.

Este es un libro para todo el mundo; es más, diría que se trata, sobre todo, de un libro para chicos y para hombres hechos y derechos como usted. Para que, de una vez por todas, adopten la posición moral *y se pongan en el lugar de las mujeres*, un lugar en el que nunca se han puesto. ¡Hay que fastidiarse, porque ha sido la propia filosofía la que ha proporcionado la coartada para no hacerlo! Lo ha hecho desde el androcentrismo, el recurso por el que los varones se identifican con el ser humano neutral y las mujeres con una parte de la Humanidad. Por eso no existen libros de Historia de los varones y sí de Historia de las mujeres; la Historia de los varones se solapa con la Historia de la Humanidad. Esta identificación es casi una categoría a priori del entendimiento, todo lo conocemos y comprendemos desde ahí. Este libro explora las consecuencias de vivir bajo esta doble verdad, una para chicas y otra para chicos.

Una cosa te digo, Celia, ¡hasta aquí hemos llegado!

Hoy sabemos que nuestros amigos los filósofos no escribían para nosotras sino para legitimar que apenas pudiéramos leer y escribir, lo justo para hacer que sus vidas fueran «fáciles y agradables». Esto escribió Rousseau: «La educación de las mujeres debe ser relativa a los hombres. Hacerles la vida dulce y agradable: estos son los deberes de las mujeres en todo tiempo y lugar y para lo que deben ser educadas las niñas desde la infancia». No les vamos a guardar rencor, nada podemos hacer por cambiar el pasado. Pero saberlo nos ha cambiado la vida y la autoconciencia, y ahora es necesario que cambie la sociedad entera, precisamente para poder tener juntos, mujeres y hombres, una vida nueva y con sentido. De esto se ocupa la ética.

La doble verdad, una para chicas y otra para chicos

La ética trata del tema fundamental de tu vida —no, no es del sexo, ¡dónde diablos has leído eso!—, de la gran aventura que es dar sentido a la vida, de cómo vivir una *vida buena*, de que un día lejano puedas llegar a decir: «He sido feliz, a mi manera, pero feliz»; y trata también de que, a ser posible, dicho día lejano a alguien le interese escuchar esa frase tuya tan bonita. Eso querrá decir que tendrás a otra persona, sea quien sea, a tu lado.

Como no vives sola, la ética tiene una cara B, que trata simultáneamente de otra cuestión fundamental, *qué límites te vas a poner en esta tarea de dar sentido a tu vida o de buscar tu felicidad*. Escúchame, lo de ponerte límites no es optativo. No cabe la pregunta: ¿por qué debería yo hacer nada por los demás, poner límites a mis sueños? Lo siento, si no quieres aceptarlo, puedes irte a una cueva o a una isla desierta, o encerrarte con el wifi en tu casa. Nadie te lo impide, pero la ética trata de los límites que te pones en la tarea de dar sentido a tu vida en relación con los demás. Nadie debe aceptar que unas personas pongan su vida al servicio del proyecto de otras, igual que nadie debe dar sentido a su vida a costa de los demás.

Déjame que te diga algo muy en serio: la filosofía y la ética siempre han construido una doble verdad sobre el sentido de la vida y sobre los límites que nos debemos imponer. La filosofía y la ética han instaurado y legitimado un sentido de la vida distinto, a menudo opuesto, para los hombres y para las mujeres; unas normas de lo valioso y lo bueno para las chicas, y otras para los chicos.

Este libro, idolatrada Celia, va a ocuparse a fondo de desvelar esta doble verdad y de explicar cómo corrompe desde los cimientos un comportamiento que podemos llamar, en verdad, «moral», animado por la universalidad. Debes obrar de manera que la máxima que presida tus acciones se convierta en universal; pues, si es bueno para las mujeres, es bueno para los hombres, y viceversa.

La ética ha consagrado una doble verdad, y las consecuencias han minado y siguen minando las posibilidades reales de progreso moral sostenido de nuestra comunidad humana. Porque esa doble verdad es una auténtica escuela de desigualdad y prepotencia. Está diseñada para olvidar que el ser humano no nace exactamente sociable por naturaleza, nace *cuidable* por naturaleza.

No basta con sugerir que nos consideremos incluidas en una verdad, sin más. «Os metéis dentro de lo público», y ahí se acabó. No, porque el tema afecta a los cimientos de las definiciones de «lo bueno» y «lo valioso», y tenemos nuestras propias ideas sobre el asunto. «Creo que he sido un buen padre», dice un señor de referencia que abandonó a sus hijas muy pequeñas, porque se sintió reclamado por el amor y la juerga. Si la madre hubiera sido como él, «una buena madre», las dos hijas se habrían criado en un hospicio, con suerte.

Nos armaremos de un método que sirva de guía, porque las reglas del método son las mejores amigas de las chicas. La hermenéutica de la sospecha será la primera y principal, sospecharemos de toda verdad que vaya dirigida solo a mujeres o solo a hombres. Vamos a ser exigentes. Me refiero a la «verdad» enfocada en las creencias, normas y valores que nos orientan sobre el sentido de la vida.

Las mujeres nunca han sido sujetos morales. ¡Lo del juicio moral no va con ellas!

Los filósofos se han entregado a explicar por qué las mujeres no somos capaces de emitir juicios morales. Te puede extrañar esta afirmación porque se contradice con un discurso muy popular, el que sostiene que las mujeres somos «mejores» que los hombres, menos egoístas, más sacrificadas y entregadas, más buenas y virtuosas, menos inquietas.

No obstante, si lo piensas con detenimiento, seguro que también has escuchado el discurso opuesto, ese que dice que las mujeres somos más malas, «peores» que ellos. Que somos más retorcidas, que vamos por detrás, que somos las culpables de todo lo que ellos hacen mal, que ellos pueden ser algo burros, pero noblotes, que ellos van de frente, sí, pues son eternos niños grandes.

Como ves, de «la mujer» se afirma una cosa y su contraria. Pensarás que esto forma parte de los refranes y la cultura popular y no hay que darle más importancia. Pues no es así. Lo han sentenciado y explicado los más grandes filósofos y, en concreto, aquellos de los que hay que examinarse para lograr el título de bachiller, es decir, para acreditar que conoces tu cultura.

Escúchame con atención, Celia, pues veo que estás pensando que me he trastornado, que de tanto leer libros de feminismo me ha terminado pasando como a aquel señor de La Mancha. No es así, de momento. Voy a ponerte dos ejemplos.

La ética investiga cómo se formulan los juicios morales, qué características tienen frente a otros tipos de juicios. Los juicios de la razón práctica o moral no se formulan de forma descriptiva sino de modo normativo. Las ciencias elaboran frases del tipo «La vaca es una mamífera» y $E = mc^2$. Un juicio moral se expresaría de esta otra forma: «La vaca debería ser una mamífera». Ya ves que no tiene mucho sentido. Lo que tiene sentido es una frase como «No deberías hacer sufrir a una vaca». La filosofía moral escribe sobre qué debemos o no debemos hacer y por qué. Los códigos morales sostienen cosas como «No matarás», «No robarás» y «Honrarás a tu madre y a tu padre».

Los juicios morales son aquellos que requieren imparcialidad, neutralidad, es decir, exigen poner los afectos entre paréntesis. Para la filosofía, las mujeres no han sido sujetos morales porque son incapaces de hacer juicios imparciales, neutrales: los sentimientos, los afectos y las pasiones nos ciegan. Que las mujeres no son seres neutrales lo han argumentado casi todos los filósofos, así legitimaron nuestra exclusión de la vida pública durante miles de años y, hasta hace poco, impidieron que fuéramos juezas o formásemos parte de un jurado, porque nos íbamos a dejar llevar más por la carita de pena y la situación personal del imputable que por los argumentos razonables del fiscal y la defensa.

La filosofía moral trata de las elecciones que hacemos. Para otros filósofos, las mujeres no han sido sujetos morales porque ellas no tienen problemas de elección: no sufren ningún tipo de agonía, lucha o angustia que les haga debatirse entre el bien y el mal. Como lo dijo Hegel: «En la mujer el "ser" y el "deber ser" coinciden». Vamos, que las mujeres siempre desean lo que deben. No sé si esto es una suerte o nos están tomando el pelo, pero no te preocupes porque, si lees este libro, lo acabaremos descubriendo.

Por si te está resultando un poco abstracto lo que digo, te lo voy a explicar a mi manera: vamos a decir que las chicas no sienten deseos de tener relaciones sexuales con chicos inconscientes o en coma etílico, más bien de reanimarlos y darles un bocata. Pues, si esto fuera así, podemos afirmar que *su deseo* coincide exactamente con *su deber*. La moral nos prescribe que no se debe abusar de personas en clara inferioridad de condiciones respecto a nosotras, y menos en grupo. La consecuencia es que su comportamiento no puede ser calificado como «moral» estrictamente. De igual modo, las mujeres *deben* cuidar a los hijos, pero el caso es que también lo *desean*. No hay cosa que deseen más que contar 4.132 elefantes antes de caer en brazos de Morfeo. Entonces, dados unos seres en que coinciden deseo y deber, deber y deseo, las mujeres, ¿para qué necesitan la moral? La moral, una vez más, es cosa de hombres.

El ser humano es un dador de sentido. ¡El sentido de la vida de las mujeres viene dado de serie!

Bien sabemos que dar sentido a nuestra vida lleva implicado elegir, ya sea entre una acción u otra, entre ciencias y letras, o entre irnos o quedarnos. Y elegir, querida Celia, no es algo que nos guste tanto, también nos causa angustias y zozobras, porque subyace el miedo a equivocarnos. Respecto a este drama de elegir y buscar sentido a la vida, te voy a decir muy rápidamente que los hombres tuvieron el bello gesto de quitarnos la libertad para que no viviéramos la angustia de tener que elegir entre un camino y otro. ¡Con lo duro y difícil que es elegir! Ya lo decía Spinoza, «toda determinación es negación».

Claro que algún filósofo bien puede decirnos con cierto fundamento: «Pero, oigan ustedes, mujeres, siempre podrían haber elegido; el ser humano es radicalmente libre, no es como un salmón, que ya viene determinado de serie». Bueno, si por «elegir» se entiende escoger entre suicidarte tú o que te maten, pues sí, siempre pudieron las mujeres elegir. Aquiles, el héroe de Troya, podía elegir entre ir a la guerra o no, pasar a la posteridad o no hacerlo, mientras que una mujer griega de su tiempo, por elegir, no podía elegir ni ir a las Olimpiadas de espectadora. Si intentaba ir disfrazada de varón y la pillaban la pena era de muerte. ¡Claro que podía elegir ir o no! Bendita libertad radical la nuestra. Te voy a decir para lo que era libre una mujer griega: para cagarse en su padre, pero, eso sí, en el gineceo y muy bajito, y que no le leyeran los labios. Bendita libertad ontológica la nuestra, no somos como los salmones, que ya vienen con instrucciones de uso.

Te estoy escuchando, me dices que eso era antes, que me he quedado anclada en el pasado, que ahora las chicas os enfrentáis también al drama de elegir vuestro proyecto de vida. Pues estoy de acuerdo, por eso escribo este libro, para que consideréis y tengáis muy en cuenta la profundidad de la huella de la doble verdad que os continúa ofreciendo la sociedad. Estáis en una situación muy contradictoria. Hoy salís a buscar vuestro destino, pero no ha cesado el mandato de cuidar y ser el sostén del proyecto de los que os rodean. Y estas dos verdades contradictorias os están pesando demasiado sobre los hombros. Una mujer reducida a objeto es una cosa mala, pero ser sujeto y tener que elegir libremente ser también objeto no deja de ser una carga pesada. No hay quien aguante tanto mensaje contradictorio:

¡Realízate, piensa solo en ti, quiérete, sé la mujer de tu vida! ¡Uf, cuidado! ¡No hay quien te aguante, a este paso te vas a quedar sola! ¡Cuidado con el arroz, que se te está pasando! ¡Pero sácate más partido, mujer!

Claro que hoy podéis «elegir», que para eso estamos en un patriarcado basado en el consentimiento. Si no pudierais elegir estaría escribiendo un libro que se titularía *Vindicación de los derechos de la mujer* o *Declaración de los Derechos de la Mujer y de la Ciudadana*. Pero esos ya los escribieron unas auténticas genias del pensamiento y también dotadas para la acción, mujeres del siglo XVIII, Mary Wollstonecraft y Olympe de Gouges.

Yo de lo que quiero hablarte es de *la huella*. ¿Crees razonablemente que miles de años de sujeción y sometimiento no dejan una huella fuerte en nuestras actitudes y nuestras creencias más básicas?

En esta ética se reflexiona sobre el sexo, y mucho

Los filósofos siguen mandando, y de qué manera. Ellos tienen el poder de poner las etiquetas intelectuales: esto sí, esto no. Esto es filosofía, esto no hay que tocarlo, esto no es objeto de la ética. Sobre todo, tienen el poder de etiquetar lo que es progresista y lo que no. Lo que es conservador y lo que es «transgresor». No me digas por qué pero les encanta esta palabra: «transgresor». La dicen y sientes cómo levitan un poco.

Los filósofos son muy diversos entre sí, pero también tienen grandes consensos. Si en algo suelen estar de acuerdo es en que el sexo *no debe ser objeto de la filosofía moral*, y todo el mundo les da la razón, especialmente desde el ámbito del arte y la creación. Casi nadie les lleva la contraria, porque te puedes llevar un buen guantazo. La consigna es: no moralicéis con el sexo, fuera la *moralina* del sexo.

Este libro, muy al contrario, va a mantener que hay que pensar de forma crítica sobre el sexo. En el sexo, como en el resto de las relaciones humanas, se pueden dar relaciones de poder, abusos, humillaciones. De hecho, se dan: desde el pasotismo con el clítoris y el placer femenino hasta el acoso sexual y las violaciones. Dime tú, divina Celia, en nombre de qué consenso han quedado todos estos abusos fuera de la ética y la filosofía moral. Máxime cuando la violación supone la aniquilación de la posición moral: ¡ponte en el lugar de la otra!

¿En aquella época era imposible pensar de otro modo?

Vaya, nos dicen que en *aquella época* era imposible pensar de otro modo; pensar, por ejemplo, que las mujeres eran sujetos que deseaban tener una vida propia. Cuando dicen *aquella época*, se refieren tanto al siglo v a. C. como al siglo xix. Mira que somos bobas, habíamos llegado a creer que los filósofos eran justamente *las personas que podían pensar de otro modo*.

En nuestra ingenuidad creímos que la filosofía era una cierta manera de interrogar a la realidad, que el filósofo se hace preguntas que el resto de los mortales no se hace. Y con ello creímos eso tan hermoso de que *la filosofía lo mueve todo.*

Había no sé qué de un mito de una caverna, y el filósofo era el que se daba cuenta de que nada era como parecía dentro de la cueva, y salía a la luz y descubría que las mujeres no eran seres inferiores, volcados en servirles y agradarles, sino seres humanos. Llegaba de vuelta, ilusionado con la noticia, «Eh, chicos, son como nosotros, también tienen cabeza y quieren hacer gimnasia», y le mataban.

Fíjate, Celia, lo valientes que han sido los hombres defendiendo ideas que no eran de su tiempo: cristianas y cristianos se enfrentaron a la muerte por sus creencias. Creían cosas extrañas a su tiempo, como que Dios se había hecho varón y había resucitado. Otros arriesgaron su vida defendiendo lo que no pensaba nadie, que la Tierra se movía. Todo el mundo pensaba que no, pero el filósofo, erre que erre, era el que se desmarcaba de las creencias oficiales y solo se comprometía con la verdad. Estos pensadores y científicos han sido verdaderamente audaces, Darwin empezó a hilar un poco por aquí, otro poco por allá, y desafió al mundo de su época asegurando que el hombre no era fruto de la Creación sino de la evolución. En concreto, de la evolución del mono macho.

Eso sí, a ninguno se le pasó por la cabeza que las mujeres pudieran querer participar en la vida pública, salir del gineceo. O, no sé, ir a las Olimpiadas. Escucha bien: no conozco un solo científico que desafiara los prejuicios de su tiempo en lo que a la inferioridad de las mujeres se refiere. Suena fuerte, ¿verdad? Es que lo es, y tuvo graves consecuencias negativas para el progreso moral de la humanidad. Quizá no influyó de igual modo en el progreso científico y tecnológico, o quizá sí, habrá que valorarlo.

Espérate que ahora vamos a reírnos un poco juntas,

risueña Celia. Que nada nos quite el buen humor a las mujeres: «En aquella época, era imposible pensar de otra forma».

Vale, de acuerdo, tenéis razón, pero ¡a Nietzsche no me lo toquéis!

Vivimos tiempos de cambio, claro que sí. A ver, que las mujeres llevamos más de doscientos años reclamando que somos personas y la filosofía, por fin, se está enterando. Algunos poco, muy poco. Será por esto de que «la lechuza de Minerva» levanta el vuelo al anochecer. Traduzco: esa frase quiere decir que la filosofía reflexiona sobre los hechos cuando ya han pasado; es decir, que, después de unos doscientos años de luchas feministas, algunos asienten y dicen: «Está bien, hay que meter alguna mujer en los libros de texto».

Hoy en día, incluso los filósofos admiten que la filosofía ha sido muy patriarcal, y los hay que lo tienen en cuenta en sus textos y en su pensamiento.

Pero todas tenemos un límite y yo he encontrado que el límite de las jóvenes estudiantes se apellida Nietzsche. Las jóvenes estudiantes se declaran a menudo feministas, pero no acaban de ver qué tiene esto que ver con cuestionar la grandeza intelectual de Friedrich Nietzsche. Lo expresan muy bien con esta frase de batalla: «¡A Nietzsche no me lo toquéis!».

Piden un respeto para el gran transgresor, el que pensaba en las cumbres heladas del pensamiento, el que decía que escribía a título póstumo, pues sus lectoras aún no habían nacido. Aquel que sentenció que la mujer era *el juguete más peligroso*. Nietzsche, alias el Transmutador de todos los valores.

Pues claro que vamos a tocar a Nietzsche, y bien tocado. Porque lo suyo no se limita, ni mucho menos, a la famosa frase en que recomienda a los hombres que lleven un látigo cuando se relacionen con las mujeres. Es sencillamente un autor tan patriarcal como la media.

A mí me gusta tocar a Nietzsche porque me considero discípula suya. A mi manera, claro, con cierta libertad, como he aprendido del maestro. El subtítulo de una de sus obras siempre me ha inspirado especialmente: *El crepúsculo de los dioses o cómo se filosofa a martillazos*. Vamos, Celia, a filosofar nosotras también a martillazos.

Nietzsche era un filósofo muy de insultar, rompedor, y esto también lo he aprendido del maestro. Por eso, aunque me cueste un poco, saco fuerzas de su ejemplo cuando insultaba y maldecía a Sócrates, al cristianismo y al socialismo, por blandengues, y digo en alto: «Nietzsche tiene un punto lelo». Quiero pensar que estaría orgulloso de mí, y no de quienes, sin comprender el verdadero espíritu de su filosofía, claman: «¡A Nietzsche no me lo toquéis!».

Posdata: Clara, a Merlí también lo vamos a tocar. A él le hubiera gustado. Era muy rebelde.

Honrar a las que nos precedieron también es cosa de la ética

Dilecta hija mía, tienes que perdonarme el que en esta introducción esté citando casi solo a varones filósofos, como si las mujeres no hubieran pensado algo con fundamento. Igual no te habías dado ni cuenta de la pura costumbre, pero te lo explico igualmente, es porque han sido los grandes filósofos quienes determinaron nuestro destino.

Ahora, en nuestro país, tenemos las más grandes filósofas. Las conozco bien porque siempre he recomendado sus manuales y sus ensayos más innovadores y personales. Pero he de decir, por amor y respeto a la verdad, que este libro no es tan formal ni tan riguroso ni tan bueno como los suyos. Y lo quiero dejar aquí dicho porque, como bien sabes, soy muy pesada.

Voy a citar a lo largo del libro a escritoras que no tienen la etiqueta de «filósofas», pero que son grandes pensadoras. ¿Qué es una filósofa sino aquella que hace las preguntas relevantes y pertinentes y aquella que ayuda a clarificar los anhelos y los sueños de una época, incluidos sus sufrimientos y frustraciones? Con ellas y junto a ellas estamos en la tarea de cambiar la autoconciencia de la humanidad, de saber más y mejor quiénes somos los seres humanos y de dónde venimos, ahora que hemos tomado conciencia de que las mujeres realmente existimos.

Voy a explicar primero las creencias que forjaron los hombres, para ser crítica con ellos, mayormente, pero usaré sus conceptos y sus enfoques. No queremos dejar de leer a Kant, ni mucho menos, pero lo leeremos de forma crítica, porque de otra forma tenemos una visión muy parcial de quién ha sido y es el ser humano: un bicho un poco interesado. Decía Kant que del retorcido tronco de la humanidad no puede salir nada derecho, y lo siguió un poco al pie de la letra con las mujeres. ¿Sabes que escribió que la igualdad solo genera discordia en las relaciones de pareja y, por tanto, había que darle el poder a una sola de las partes? Y luego añadió: pues, venga, se lo damos a los hombres. A esto se le llama «ser juez y parte».

Por todas estas razones anteriores, Celia, no he podido escribir un libro de ética convencional. Quería hacer un libro de ética más al uso, de verdad, para ti, para tu generación. Porque un día caí en la cuenta de que os habíamos llevado a natación y a baile, pero entre actividad y actividad se nos había olvidado hablaros del sentido de la vida, de por qué os habíamos traído aquí y qué os cabía esperar. Empecé con ello, pero me ha sido imposible; no es posible escribir un libro de ética y, al mismo tiempo, desvelar la doble verdad que la impregna y envuelve de forma integral, absoluta. Por eso me he quedado en el «cómo se filosofa a martillazos».

Hija de Eva y de Hera, quiero dar gracias a la vida por tres cosas. La primera, por haber nacido mujer en los tiempos de la igualdad formal. La segunda, por haber nacido en la Europa que construía un Estado de bienestar y derechos sociales. La tercera, por haber nacido en los tiempos de grandes filósofas, de Celia Amorós y Amelia Valcárcel, de Marcela Lagarde y Alicia Puleo.

En este libro no voy a usar tu nombre real, hija mía. Lo he sustituido por el nombre de una niña rebelde, protagonista de cuentos e historias en los tiempos de la monarquía, la República y la posguerra españolas del siglo xx. Tiempos convulsos como los que ahora estamos viviendo. Se llamaba Celia y también tenía un hermano pequeño, Cuchifritín. Su autora vivió el exilio, en varios sentidos. ¡Esta ética también va por ella y por toda la generación de las Sinsombrero! ¡Os mandamos un saludo, os recordamos mucho, cada día más en vez de menos!

¿Donde el corazón te lleve? Ni hablar, usa la cabeza

Hay un debate en la ética contemporánea sobre el peso de la razón y la emoción, y un pequeño consenso en que la razón genera monstruos, que el sueño de la razón genera monstruos y hay que atarla en corto. Pero también hay que preguntarse qué generan las emociones y los impulsos, ¿siempre cosas buenas?

Hay todo un consenso en ética sobre la importancia de cultivar una sensibilidad moral, del «ponerte en el lugar de los demás» como la posición moral fundamental. En estas páginas comprobarás que nosotras, las mujeres, no hemos hecho otra cosa que ponernos en el lugar de los demás, de forma simbólica y material, tanto en los libros como en la vida cotidiana. Ahora es necesario que nos pongamos en nuestro lugar, saber dónde estamos y cómo minar esta persistente doble verdad.

Por eso te llamo a pensar antes de actuar, y a no dejarte llevar por el corazón a las primeras de cambio.

Hay una sentencia que a todas nos gusta mucho: *Primum vivere deinde philosophare*. Significa que lo primero es vivir y lo segundo reflexionar sobre lo vivido. Pero, fíjate en una cosa, el que escribe esto ya te está explicando, literalmente, *cómo debes vivir tu vida*, y lo hace a través de un pensamiento. Haz tú lo mismo, piensa cómo quieres vivir tu vida antes de actuar. Aunque, pensando, llegues a la conclusión de que tienes que actuar más.

Piensa en la pandemia que estamos viviendo, qué es lo primero que debemos hacer: actuar con la cabeza. De poco nos vale poner mucho corazón si lo ponemos en el sitio equivocado. Razón y corazón van muy de la mano. La razón nos quita los prejuicios, la confusión y la dispersión. La desigualdad se reproduce en la confusión de ideas. La igualdad es amiga de las ideas claras y distintas, cartesianas. Dos + dos = cuatro; este empleo es una basura y el salario y las condiciones, una explotación. Estas son ideas claras y distintas.

Actuar con la cabeza no significa no tener corazón. Al contrario, una buena cabeza agranda el corazón. Ten corazón para ponerte siempre en el lugar de las demás. Ten corazón para no juzgar a las demás sin saber de dónde han partido, pero sobre todo ten la cabeza de saber que puedes aprender, y mucho, de nuestra historia, de la aventura de la humanidad. Lee y verás que, en esta apasionante historia, el reparto de papeles ha sido, como poco, por enchufe, no por méritos propios. Sales en el guion como la hija, la madre, la amante, la amiga, la prostituta. Disculpa la pregunta, ¿acaso era ahí donde las llevaba el corazón, a definirse en relación con el otro? Igual ellas creían que sí, que era el corazón, pero nosotras sabemos hoy que quien las llevaba ahí de la mano era el patriarcado.

Lo más fácil es que el corazón te lleve de forma rápida y directa al corazón del patriarcado.

Usad la cabeza y llegaréis de vuelta al corazón y, además, habréis contribuido a cambiar este mundo para que otras lleguen a vivir mejor. Seréis ceniza y polvo, mas polvo con sentido.

PRIMERA PARTE

De la ontología y por qué es el núcleo duro de las creencias y las contradicciones que vives

1

De la ontología, el núcleo duro de nuestras creencias

«Dadme un punto de apoyo y moveré el mundo.» Un solo punto de apoyo es suficiente para orientarse en el pensamiento, para saber por dónde empezar. Desde la noche de los tiempos, la técnica nos hizo ver el gran rendimiento que se puede obtener de recursos sencillos como la palanca. Una palanca consiste en encontrar un punto de apoyo firme y sólido, que puede ser pequeño, incluso muy pequeño. Pues bien, si colocas un tablón encima, puedes llegar a mover tres veces tu peso. Si sofisticas un poquito más la técnica, quizá muevas diez, veinte, treinta veces tu peso.

La ontología va a ser nuestra palanca. O nuestra «palanca primera», expresión que tiene, indiscutiblemente, un aire más filosófico. Será la palanca utilizada para movernos y mover el mundo que nos rodea.

La ontología es la parte básica, el núcleo duro de las creencias en que vivimos. Tenemos ideas, pero vivimos instaladas en las creencias y por eso suelen pasar desapercibidas. Sabemos qué ideas tenemos y las podemos discutir en el instituto o en la barra de un bar, pero lo que nos interesa desentrañar son las creencias profundas, porque influyen mucho en nuestra vida y no somos conscientes de ellas. A veces tenemos ideas que se oponen a nuestras creencias, y viceversa. Por eso algunas compañeras tuyas que saben que sus compañeros apoyan las ideas igualitarias, que van con ellas a las manifestaciones contra la violencia, se quejan porque les parecen una abominación las creencias de esos mismos compañeros sobre *lo que es una chica y lo que se puede hacer con ella*. Nuestras creencias más básicas pueden causar serias perturbaciones en la Fuerza. Es necesario acceder a ellas y tratar de arrastrarlas a la luz del análisis crítico. Cuando Sócrates decía aquello de «conócete a ti misma», también venía a señalar esto, «conoce tus creencias».

La ontología es la parte de la filosofía que estudia «el "ser" en cuanto que es». Y es que las cosas «son»: son mesas, son ideas, son canciones, son sentimientos. Todas estas cosas «son», y aunque lo son de una manera distinta, no tiene menos existencia una canción que una piedra. Un «sentimiento» existe y existe mucho, a veces demasiado. En ocasiones querríamos no sentir algo, por ejemplo, un dolor que nos está hiriendo, pero es como si no fuéramos libres para dejar de sentirlo. Un sentimiento nos invade y escapa a nuestro control. Entonces, ¿qué es más sólido, más fuerte, «más real», una piedra gigante o un sentimiento que apenas logro articular? La piedra, a no ser que te caiga encima, es posible rodearla, evitarla, pero el dolor no estamos siendo capaces de rodearlo ni de evitarlo. Con esta breve reflexión es posible concluir que tanto la piedra como los sentimientos «son». Ya no podemos decir que uno es más real que otro. Lo que podemos sostener es que son realidades distintas, y al hacerlo estamos inmersas en la pura ontología, sin más.

Como decía Aristóteles, «el "ser" se dice de muchas maneras». A saber, que las cosas, la realidad la tenemos que clasificar para poder tratar con ella, para distinguir entre lo que podemos y lo que no podemos cambiar, para hacernos un buen mapa de lo real y preparar nuestra caja de herramientas, es decir, las instrucciones de uso para nuestra vida. De eso trata la ontología, del mapa que sitúa a los humanos en sus posibilidades y en sus límites. Bendita filosofía, que a veces parece un conjunto de afirmaciones desesperantes sin sentido, del tipo «lo que es, es y lo que no es, no es». Pero, qué va, ni mucho menos. Casi todo lo que se afirma en filosofía está encaminado hacia algún fin. Y, como verás, tiene muchas utilidades.

«Ontología» no es sinónimo de «biología». La ciencia, la biología o la medicina estudian y analizan las diferencias constitutivas y materiales entre mujeres y hombres. Somos animales, mamíferas en concreto, por eso nacemos, nos reproducimos y morimos de una cierta manera, al igual que las leonas y las elefantas, salvando las diferencias. La ontología no olvida estos hechos, porque entre las distintas formas de ser está el ser «biológico», pero la ontología se despega de lo biológico para comprender cómo el ser humano se convierte en un ser simbólico que vive entre la cultura y la memoria. Tal vez, cada día más en la cultura y en la realidad virtual para lidiar con su condición mortal, para revolverse contra ella.

La muerte, por cierto, debes tenerla en cuenta, porque a su manera es una maestra, nos enseña cosas; nos enseña que el hecho de ser seres simbólicos no disuelve nuestra materialidad. Y nuestra materia viene con fecha de caducidad, desconocida pero con fecha.

De subir la escalera antes de tirarla

Wittgenstein es un filósofo muy querido por todas nosotras, quizá porque estaba siempre un poco atormentado e intentó cambiar de forma radical su vida para encontrar la paz. Era un filósofo analítico, pero a veces se expresaba con anotaciones enigmáticas que el resto de las mortales nos esforzamos por interpretar. Escribió, por ejemplo, que si quieres tirar una escalera para deshacerte de ella, antes es preciso haberla subido hasta arriba. No basta con apartarla o cambiarla de lado, y menos aún con decir «yo paso de esa escalera», esa escalera es un sentimiento. Wittgenstein era genial. Nosotras vamos a subir la escalera de la ontología patriarcal. Es larga y cansina, con tramos sencillos y otros muy peligrosos, pero en realidad todos los peldaños tienen un tremendo aire de familia.

En los primeros peldaños de esta escalera vamos a encontrar que nuestra comprensión del mundo reposa en «clasificaciones». Ponte en el lugar de las niñas pequeñinas, ¿cómo comienza a hacérseles significativo el mundo desde el momento en que son capaces de clasificar los distintos tipos de realidades? La primera forma de clasificar la realidad se basa en un criterio bien claro: las cosas que se meten en la boca y las que no. Más que con las manos, clasifican con la boca. Todo se lo llevan a la boca, seguramente para comérselo. Sus manos y sus pies, para empezar. «Noooo, eso no se come.» «Noooo, sácatelo de la boca. Noooo.» Ahora, sí, abre la boca que te voy a meter algo necesario para que sigas aquí. «¡Uy!, qué rico está este puré. Vamos, veeenga, abre la boca.» Vamos al parque y, allí, otra vez todo a la boca. «Nooo, la tierra no se come.» «No, al rastrillo y al niño de al lado tampoco se le pega un mordisco.»

Pues bien, querida y díscola Celia, tras arduos años dedicada al estudio y la investigación, creo que es posible afirmar que el resto de las clasificaciones humanas consisten en separarlo todo según sea propio de niñas o femenino, y propio de niños o masculino. Sin olvidar añadir unas gotitas de epistemología para señalar que estas clasificaciones las ha pensado y puesto por escrito, en solitario, «una sola mitad de la humanidad»: en concreto, la parte a la que tú no perteneces, la de los varones.

El feminismo no niega que haya niñas y niños, lo que niega es que haya formas de ser específicas de niñas y niños, caracteres femeninos y caracteres masculinos. El feminismo no tiene problemas con la biología, los tiene con el error y la falsedad, sea biológica o de otra clase. Pero fíjate, a lo largo de la historia, si algo ha estado elaborado y muy bien elaborado es que las diferencias biológicas entre los sexos tienen una traducción causal en «caracteres humanos distintos». Se decía que hombres y mujeres eran distintos por naturaleza, pero, en realidad, lo que se quería destacar es que tenían «esencias» distintas, formas de ser distintas y complementarias. La ontología no sostiene que somos distintos por naturaleza sino por esencia, porque somos dos tipos de seres distintos con características distintas y valores y metas en la vida diferentes. Esta distinción todo lo abarca y es el objeto de este primer capítulo, pero, como ha dicho Amelia Valcárcel, en última instancia se reduce a señalar la importancia de lo etiquetado como masculino y la insignificancia de lo etiquetado como femenino. Es importante subir esta escalera para poder comprender, al final de este viaje, que en realidad no hay cualidades femeninas ni cualidades masculinas. La pasividad, la dulzura, la determinación, la entrega, la voluntad, la generosidad son cualidades «humanas». Pueden estar en las mujeres o en los hombres, a no ser que, como se ha hecho, tratemos de amputarlas o reforzarlas premeditadamente y según el sexo.

En una sociedad patriarcal, como sigue siendo la nuestra, lo masculino ha sido y es el principio activo y creador, para entendernos, es lo cojonudo o la polla y lo femenino es el santo coñazo, el colmo de lo cíclico, repetitivo y tedioso. Esta realidad invade nuestra vida cotidiana, de forma tan sencilla y persistente como casi cualquier conversación. Veamos un pequeño ejemplo. Una esposa preocupada da vueltas y vueltas a la conversación de siempre. El pobre marido, lógicamente, no puede más. «Pero ¿otra vez estás con lo mismo, Maripepa? Esto no hay quien lo aguante. Mira, no quiero cabrearme, me bajo al bar a echar una partida.» Será la partida 2.456 con los mismos compañeros desde hace veinte años, pero la partida de mus siempre resulta distinta y creativa, eso no es repetitivo ni monótono. Resuenan una vez los eternos latiguillos, «envido», «voy», «a la mano con un pimiento», «¡órdago a pares!»... o las copas de coñac. Pero deben de ser los del eterno retorno nietzscheano, que les tiene tan contentos. Mientras, ella rumia la ontología de la impotencia y la repetición del recoger y fregar los platos, tres veces al día trescientas sesenta y cinco veces al año.

Es una condición necesaria, para nuestra comprensión de quiénes somos, rastrear la lenta y sistemática elaboración de lo femenino y lo masculino y de cómo, con una cara epistemológica que mueve al asombro, se ha ido enraizando en el destino humano y social de las mujeres y los hombres de carne y hueso. Y en base a estos preceptos que interiorizamos para humanizarnos se ha construido una ética y una política legitimadora de la desigualdad y de la opresión sexual. Una ética basada en «una doble verdad»: lo que es bueno y valioso para los chicos no lo es para las chicas, y viceversa. Esta doble verdad ha funcionado como un elemento crucial de nuestra comprensión y dotación de sentido del mundo. Por eso cuesta tanto la igualdad entre hombres y mujeres, por eso es tan difícil lograrla, aunque las mujeres hayamos conquistado unos derechos que son legítimos y una condición necesaria para seguir adelante.

Las mujeres no estamos peleando «solo» contra una injusta cuestión de discriminación y falta de derechos, ni siquiera contra una cuestión de opresión y violencia, con toda la gravedad que ello comporta. Es contra una visión que atañe a las creencias más profundas sobre el ser y el sentido de la vida individual y colectiva. Uno para las mujeres y otro para los hombres. Wittgenstein, el de las anotaciones, también escribió que las ciencias operan cogiendo una piedra tras otra y ordenándolas. Y, sin embargo, la filosofía vuelve una y otra vez a coger la misma piedra. La ontología patriarcal es la piedra que vamos a coger una y otra vez. Es una ontología que ha permanecido estable durante milenios y que liga estrechamente los grandes relatos simbólicos: la mitología griega con el cristianismo, el cristianismo con Nietzsche, y así sucesivamente.

De la cultura popular a la cultura más elitista, de *El señor de los anillos* a *Fenomenología del espíritu*, de la Fórmula 1 a la FIFA o del punto de cruz a la Barbie hay una línea de conexión sobre la que reposa la misma ontología: la importancia masculina y la insignificancia femenina. Puede que, dicho así, suene algo fuerte, pero quizá al seguir leyendo pienses, como mis estudiantes al final de curso, que en realidad es un juicio benevolente y tengo que «radicalizarme».

Toda sociedad cuenta con un plan para educar a sus nuevos miembros. Es el proceso de socialización, en el que se interiorizan las normas y los valores de la comunidad, para que las crías puedan escoger entre lo bueno y lo malo, el ser y el deber ser, y en definitiva poder dar sentido a sus vidas y, si acaso, ser felices. La «educación formal» en los colegios es una parte muy importante de este proceso de aprendizaje y adaptación. La «educación informal», es decir, los juegos, las canciones, las películas o las redes sociales, cubre los demás aspectos de la socialización.

En este capítulo primero se analizan tres fuentes formales de nuestras creencias, de esas que te facilitan como bases de la cultura occidental, que es en la que tú y yo, viajera Celia, hemos nacido y crecido. El conocimiento siempre está situado y nuestras tres fuentes se suceden de forma cronológica. El mundo grecorromano con su mitología, el cristianismo con sus navidades y la filosofía y el pensamiento científico con su técnica y su tecnología forman parte de las creencias más básicas acerca de quiénes somos y cómo debemos actuar. Científicas y novelistas, *influencers* y futbolistas no dejan de basar sus creencias, sus valores y también sus bobadas en alguna de estas fuentes. Son las raíces y los nutrientes de muchas de nuestras creencias más básicas, esas que no sabemos explicitar, por ser tan básicas como el aire que respiramos. Hasta que llega una pandemia. Pero su mensaje ha sido y sigue siendo muy claro: lo que es cierto para una chica no lo es para un chico.

2

De la mitología, la Wikipedia griega

Zeus, un campechano mujeriego, y Hera, una señora amargada

La mitología griega se elaboró hace miles de años y es cada día más vigente y actual. La estudiamos en el colegio y es, sobre todo, una fuente inagotable de argumentos para las películas de aventuras y de dibujos animados. Incluso *La guerra de las galaxias* se inspira en el Senado romano. Cuando nos hacemos mayores comprobamos que tragedias griegas escritas hace más de dos mil años se representan todos los veranos con un éxito rotundo. Algunas en las mismas ruinas de los teatros romanos. ¿Cómo es que comprendemos tan bien los gritos de desesperación de aquellas griegas que vivieron hace tantos años? ¿Por qué nos interesan tanto sus aventuras y desventuras, su forma de afrontarlas? Será porque nos seguimos identificando con ellas, comprendemos su impotencia y su amargura ante tanta lucha de poder que siempre termina en la guerra y en la muerte. Nos gustaría poder mandarles un mensaje desde aquí: «Eh, Hécuba, las mujeres hoy estamos peleando. Sí, continúa habiendo esclavas y esclavos, pero estamos peleando, nos acordamos mucho de vosotras. Un abrazo».

La mitología griega narra la vida cotidiana y las aventuras de dioses y humanos, qué motiva sus acciones y cómo se relacionan entre ellos. Hoy la estudiamos como un conjunto de narraciones coherentes y con sentido, pero sabemos que son ficciones, fueron inventadas y narradas por personas concretas, bueno, sin eufemismos, fueron inventadas por varones concretos. Para las griegas —y los griegos— estas narraciones se correspondían con la explicación verdadera de la realidad. Eran como su *Wikipedia* y su *Ética*, allí encontraban la explicación de quiénes eran, de dónde venían y también «qué debían hacer».

Existen fuentes y versiones distintas, a veces incluso opuestas, de los relatos mitológicos. Pero, básicamente, el relato siempre comienza igual. En sus inicios, el mundo era un poco caótico, y no había sitio para los humanos.

Titanes, titanas y gigantes andaban sueltos por la tierra y el cielo y peleaban por el poder. Los titanes engendraban hijos con sus hermanas titanas, pero luego, preocupados por si sus hijos les iban a quitar el trono, se los comían. (Nota: no te quejes tanto de tu padre, que mira cómo eran las cosas antes; puedes ir al Museo del Prado y ver el cuadro de Goya en el que Saturno, un titán, está devorando a uno de sus hijos.) Cansada de traer hijos al mundo para que se los merendaran, con lo que implica física y afectivamente un embarazo, una titana logró esconder del ojo paterno a su pequeño. Era Zeus. Cuando Zeus se hizo mayor consiguió poner orden en aquel caos inicial que impedía prosperar a la descendencia. Atrapó a los titanes, los metió en una cueva bajo tierra, cerró y tiró la llave, limpió todo un poco e instauró una cierta confianza en el mañana. Te estarás preguntando si Zeus era una señora, por lo de instaurar el orden y la limpieza, pero no, era un señor. Un señor importante, Dios.

Zeus es un Dios con mayúsculas, astuto y valiente, magnánimo cuando quiere y al que solo cabe ofrecer respeto y agradecimiento. No es el único dios que existe. La mitología griega es una auténtica maraña de dioses, diosas, héroes (héroas no hay), sátiros (sátiras no hay), centauros, ninfas (ninfos no hay), musas (musos no hay). Hay dioses y también diosas, casi todos parientes, pero con una jerarquía clara entre ellos. Superdiós hay solo uno y se llama Zeus. La mitología le presenta como el dios de los dioses, no es omnipotente, no lo puede todo, pero sí es el que más puede. De hecho, como hemos dicho, todo lo bueno comenzó con él. Nos trae la luz y la armonía. Se le adora y se le rinde culto en los templos.

Ahora bien, perfecto no es.

Las mujeres y las ninfas lo van a saber bien porque, por decirlo con claridad, es un picha brava. Está casado con Hera, que más que una diosa parece sencillamente una esposa cabreada, pues uno de los quehaceres habituales de su marido es ponerle cuernos, expresión vulgar para señalar que está en busca de muchachas jóvenes y guapas. Zeus es un dios violador. Sabe que tiene derecho a tomar lo que se le antoje y las chicas van a ser de lo que más le apetezca; o tal vez esto es lo que los hombres que escribían los libros encontraron más interesante y aleccionador para contarnos. Eran libros importantes para educar y orientar a aquellas generaciones de griegas. Para que escucharan relatos de violaciones como si fueran el producto lógico y necesario de tener un dios travieso y campechano.

En las violaciones de Zeus hay, sobre todo, engaños y ataques por sorpresa. Zeus se metamorfosea para acceder al cuerpo de las mujeres. Unas veces toma la forma de lluvia dorada, otras la de un cisne, incluso la del esposo que desea a su mujer. Cuenta con un historial largo y conocido, pero hasta hace muy poco las mujeres no habíamos tenido tiempo ni valor para poner nombre real a lo que hacía. Porque nosotras tampoco pintábamos casi nada.

Ahora que ya tenemos el poder y la confianza suficientes para pensar todo esto juntas, vamos a plantearnos, *cara* Celia, cuáles son las preguntas que nos interesa formular a la mitología y sus relatos. Ya sabes que la posición filosófica radica justamente en las preguntas que le formulamos a la realidad. ¿Por qué nadie se preguntó por estas violaciones? Porque no movían al asombro ni a la reflexión, pasaban desapercibidas, formaban parte del paisaje, es decir, de lo normal y esperable. Ahora ya no. Y entonces surgen nuestras preguntas a la mitología como mujeres del siglo XXI. Por ejemplo, ¿qué querían enseñarnos los autores que pusieron por escrito los mitos? Una posibilidad es que pretendieran alertar a las jóvenes para que no se fiaran de la lluvia dorada, ni de los cisnes, ni de los toros... que quisieran explicarles que donde mejor estaban era recluidas en casa, en el gineceo, y con las puertas y las ventanas cerradas. Podría ser, desde luego es el mensaje explícito, pero quizá haya un mensaje oculto.

Leyendo estos relatos creo, más bien, que de ellos se desprende algo un poco más abstracto: *la absoluta falta de interés por lo que piensen o sientan las mujeres violadas*. Esta es la parte oculta pero fundamental de este relato aleccionador. Esto es lo que se desprende de esta mitología: *lo de ellas no importa o importa poco.* Porque Zeus es el Sujeto, el protagonista, y solo nos ponemos en su lugar. Por eso ha sido posible que estudiáramos y leyéramos y no nos llamara la atención, no nos parecieran tan graves las acciones de Zeus. Porque el relato hace que te pongas en el lugar del protagonista. Este es el inmenso poder de la literatura, del arte, que puede anular tu juicio crítico. Nunca nadie se ha puesto en el lugar de ellas, ni siquiera nosotras las mujeres nos hemos puesto en nuestro lugar real, que era el de las violadas.

El arte, por supuesto, también puede despertar nuestro juicio crítico, pero en el tema de «la mujer» no parece haber sido el caso. Hasta hace bien poco tiempo.

Otras preguntas que no se le suelen hacer al relato mítico son las siguientes. ¿Por qué no se separaba Zeus de Hera, ya que su esposa le interesaba más bien poco o nada? ¿Sería esta acaso otra lección que debían aprender las niñas y los niños griegos? Puede que la mitología albergara también esta importante enseñanza: que a Zeus *el estado matrimonial no le impide hacer nada.* Y cuando decimos «nada», decimos que no le impide estar asaltando a jóvenes. Sí, Zeus es un dios violador. (Nota: lo repito tanto porque me cuesta creerlo, me da tanta pena... con lo bien que me caía y lo majo que sale en la película *Hércules* de Disney.) Sale un rato del Olimpo y su vida (eterna) discurre satisfaciendo sus deseos. Y es que ¿por qué va a poner límites a sus deseos el hombre, es decir, el dios supremo?

La del divorcio es una pregunta que tiene su interés. Quizá ha llegado el momento de observar el hecho de que los varones —de quienes te anticipo (¡ojo, espóiler!) que se hicieron con el poder y el control sobre las mujeres— nunca han luchado como colectivo por el derecho al divorcio, salvo excepciones. Ni lo hicieron en la Antigua Grecia ni lo hicieron en el siglo XIX. Fueron las mujeres, cuando comenzaron a organizarse en el movimiento feminista, las que consideraron el divorcio un derecho importante, vital para su supervivencia. Y lo digo, querida Celia, porque sé que circula por ahí el mito de que «las mujeres somos más conservadoras», y habrá que analizarlo, reflexionar sobre qué han querido conservar las mujeres y qué quieren conservar los hombres. Vamos a quedarnos de forma esquemática con que los varones no estaban a favor del divorcio porque pensaban que la familia (patriarcal) era la base de la sociedad (suya), y su separación no podía traer más que caos y desorden a la tierra. Como aquel caos originario de los titanes.

Estábamos en que Zeus trajo el orden y la armonía a la tierra. Utilizó su poder para garantizar el fin de la violencia de los titanes y que la gente pudiera vivir con seguridad y sin miedo a la arbitrariedad. Sin miedo a que destruyeran sus casas de una patada, les robaran sus propiedades o fueran aplastados, o sea, muertos. Fíjate cómo se parece este estado de paz a la situación que más adelante teorizarán los filósofos ilustrados como resultado del *contrato social*. Pero parece que aquel momento fundacional no afectó a la seguridad de las mujeres, pues ellas tuvieron que seguir conviviendo con la incertidumbre y el miedo a ser violadas y quedar embarazadas. No ya por Zeus, sino tal vez por cualquier varón, si aceptamos lo que siempre nos explica Juan José Tamayo: como Dios es representado como un varón, el varón se identifica con Dios.

La representación de Zeus es una mezcla de padre y guerrero, grande y fuerte, que utiliza a las mujeres como seres de segunda para realzar su Ser. Su «ser». Luego, como verás, el Dios cristiano dirá: «Yo soy "El que Es"». Lo he destacado antes, todos los tramos de la escalera patriarcal van a tener un aire de familia.

Es posible aventurar que cuando los chicos jóvenes del mundo estudian la mitología griega se identifican con Zeus y, como quería Platón, en las narraciones de Homero «aprenden la norma de lo bueno y lo malo». ¿Qué aprenden las chicas cuando estudian a Homero? ¿En qué espejo nos hemos mirado las mujeres que, hacendosas y hormiguitas, como nos dicen que somos las niñas, estudiamos la mitología griega? En Hera, esposa de Zeus, el imaginario es radicalmente diferente. De entrada, pensamos que es inferior; pero esto casi pasa desapercibido ante lo que viene a continuación: es una amargada. ¿Te suena? Todo el día rumiando su rencor porque Zeus la desprecia y se va con otras. Y ¿cómo se desahoga? Pues vengándose de las jóvenes, a las que culpa y responsabiliza de todo lo que hace su marido, es decir, Dios. Cuando leemos estos relatos con ojos nuevos y nos damos cuenta de dónde vienen estos lugares comunes que siguen hoy vigentes, flipamos. ¿Es esta una historia remota y lejana? Pienso que no, cada día la veo más cercana, presente, pero juzga por ti misma. Todavía escuchamos que las chicas que van en minifalda o se bañan desnudas tienen la culpa... de cómo actúa Dios.

De esta breve y edificante historia —«edificante» porque a partir de ella se edificó una sociedad muy influyente, la cultura clásica— proviene una ontología del ser hombre y del ser mujer. El ser aventurero y alegre del varón y el ser pesado, plomizo y amargado de las mujeres. Ser mujer es, en todos los casos, ser relativas a los hombres. Relativa a Zeus es su esposa, relativas a Zeus son las madres de sus hijos y relativas al juicio de un hombre sobre su belleza serán las diosas de la inteligencia y la justicia.

Homero, ¿yo soy guapa?

Para conocer un poco más el papel de Hera y otras diosas importantes, hay que remontarse al origen de la guerra de Troya. La guerra de Troya está relatada en uno de los libros más importantes de nuestra cultura, la *Ilíada*, que comienza así: «Canta, ¡oh, musa!, la cólera de Aquiles».

Todo comienza en una boda. Una boda a la que no fue invitada una diosa, la diosa de la discordia. (Nota: ¡Vaya por dios!, como en *La bella durmiente*, hay un mensaje subliminal; si te casas, Celia, ten cuidado y repasa bien la lista de invitadas.) Para ser coherente con su nombre decidió acudir a la boda y sembrar la ídem. En medio de la fiesta cogió una manzana y la echó a rodar mientras pronunciaba estas malévolas palabras: «Para la más bella». Sin sentido alguno de la humildad y la prudencia, tres diosas se dieron por aludidas y se fueron a por la dichosa manzana. Estas tres diosas eran Hera, la esposa de Zeus o de los cuernos perpetuos; Atenea, la diosa de la inteligencia y de la guerra; y Afrodita, la diosa del amor. De su imposibilidad para llegar a un acuerdo sobre cuál era la más guapa surgiría la guerra de Troya.

Ahora, antes de dejarte llevar por la narración, párate a pensar un poco. Pon los ojos en blanco y medita: las tres diosas más importantes del Olimpo y... ¿se enzarzan en una discusión sobre quién es la más hermosa, la más guapa y atractiva? ¿A ti te parece esto medio normal? Pero ¿de dónde había salido el Homero ese? ¿Nos estaba tomando el pelo a las mujeres al contarnos cómo éramos? Yo creo que sí, que Homero nos tomaba el pelo. Que unas diosas se dediquen a rivalizar, como la madrastra de Blancanieves, «Espejo, espejito, ¿quién es la más bella del reino?»... sencillamente, no me lo creo. Lo que observo es el gran interés por hacernos pensar que somos así. En algunas revistas de cotilleos hay una sección en la que comparan a dos actrices o *influencers* que van vestidas con la misma ropa y te preguntan: ¿quién lo lleva mejor, a quién le queda mejor? Es demasiado parecido a la *Ilíada*.

Esto nos lleva a reflexionar sobre la importancia real de las diosas en el mundo clásico. Se puede defender que en Grecia las diosas eran muy relevantes, pues, para empezar, las había, mientras que en las religiones monoteístas no hay diosas. Y, además, no eran solo diosas de «la casa» o «la maternidad» sino de la inteligencia, de la justicia. Sí, había diosas pero en el fondo se nos muestra que eran tan listas o tan tontas como cualquier chica del mundo, y lo que de verdad les importaba era estar monas. Este relato sobre el origen de la guerra de Troya pone en su lugar natural a Atenea, que, por mucha diosa de la inteligencia y la guerra que sea, al final lo que le importa es ser la más guapa.

La solución para que las tres diosas se aplacaran fue

convocar a Paris, el joven hijo del rey de Troya. Este tenía que decidir, con justo juicio —*oséase*, con su santa opinión—, cuál de las tres era la más bella. Las tres estuvieron de acuerdo en someterse al juicio de Paris, pero ¡ay, las mujeres!, no son de fiar, siempre van por detrás: las tres tenían un plan para comprar y corromper el veredicto del muchacho. Hera le ofreció poder; Atenea, victorias militares; y Afrodita, el amor de la joven más bella de su mundo. Paris se inclinó por la tercera opción, la de quedarse con Miss Mundo helénico. El problema surgió porque esta muchacha, de nombre Helena, estaba casada con el rey de Esparta, Menelao, y acababan de tener una hija, la pequeña Hermione. (Nota: sí, se llama como la de *Harry Potter*.) Helena era feliz en su matrimonio pero Afrodita le nubló el juicio y la hasta entonces prudente esposa lo dejó todo. Raptada por Paris, se fue a disfrutar de su nuevo amor. Esta humillación no podía quedar así. Había comenzado una guerra entre ejércitos de varones que duraría veinte años.

Así que una tonta pero agria discusión causa la guerra de Troya. Todo el sufrimiento arrastrado por un pueblo, la destrucción de ciudades y naves, la muerte de tantos hombres, y el secuestro, la violación y el sometimiento de tantas mujeres a la esclavitud. Además del asesinato de los niños varones de Troya. Eso se inicia por una banal discusión sobre cuál es la más bella. Y por el consecuente rapto de otra mujer cuya característica principal era la de ser —¡otra vez, qué cansancio!— la más bella.

En la mitología griega es muy importante la figura de los héroes, o sea, los hombres varones especialmente virtuosos por su carácter y por sus obras. El virtuoso es el que dedica su vida y sus capacidades al servicio de la comunidad; es quien, llegado el caso, hasta arriesga su vida para proteger a los demás. Con tu cabeza lógica —que te conozco— debes de estar pensando que «héroes» serían también las mujeres, pues arriesgaban la vida cada vez que traían un ser nuevo a la comunidad. No. Fallo total. Eso lo hacían «todas» las mujeres y, mira, en realidad no tenía mucho valor, porque si no lo hacía una, o se moría de parto, pues ya lo hacía otra, otra cualquiera. No, héroes eran los que manejaban armas y tenían la capacidad y la destreza de matar. Cuantos más mataran, mejor; porque así acrecentaban sus heroicidades. Aquiles, el héroe de la *Ilíada*, era también conocido como «máquina de matar». Héroes eran los que, cuando llegaba un peligro, habitualmente otro varón matador, no se arredraban y daban un paso al frente. Eran los guerreros que salvan de otros guerreros a las que nos acurrucamos en una esquina. Lo habrás visto en muchas películas, mismamente en *El Señor de los Anillos*. Héroes eran los que protegían la vida de la comunidad, pero luchando, no cuidando. La palabra «virtud» viene de *vir*, que significa exactamente «viril», es decir, propio del varón. Volveremos sobre ello con Simone de Beauvoir, cuando se pregunte por qué la humanidad ha valorado más al ser que quita la vida, al guerrero, que al ser que la da, la mujer.

Bueno, mujer, son las cosas del patriarcado, no te lo tomes tan a la tremenda.

Hércules es el héroe griego más conocido y admirado. Tiene su película de Disney, sus largometrajes, sus miniseries y telefilmes de serie B. Pero te va a sorprender, porque ¿sabes lo que hizo Hércules un día que llegó a casa y se le nubló el juicio? Pues que asesinó a sus hijos delante de su esposa y luego la mató a ella. ¿Te suena esta historia? ¿Sabes cuántos asesinos de mujeres declaran actualmente que se les fue la cabeza? Espera un momento, porque hay más. Dice Hércules que fue una señora la que le nubló el juicio, en concreto una diosa, Hera, la esposa de Zeus, esa amargada que te resultará familiar. Hera sabía que Hércules nació fruto de una aventura de su —¿seductor/violador?— esposo y que este lo tenía por uno de sus hijos preferidos. Y, claro, dada la maldad que se atribuye a veces a las mujeres («nosotras somos peores, más retorcidas, etc.»), pues tenía ganas de hacerle mucho daño. Y se lo hizo. Pero los hombres son gente de recursos, y eso le acabó sirviendo a Hércules para redimirse y pasar a la posteridad con sus doce increíbles trabajos. ¡Guau!

Ahora vamos a hablar de Hécuba, situándonos en el

momento final de la guerra de Troya. Para ello, seguiremos a Eurípides, uno de los grandes autores de teatro griegos, y su obra *Las troyanas.* La he visto representada en el teatro romano de Mérida, al anochecer. Temblaba la tierra con los gritos de dolor de Hécuba. Ella, que había salvado a Ulises, era una de las mujeres que habían sido entregadas como esclavas a los vencedores de la guerra y veía cómo su nieto caía al vacío.

Hécuba, reina consorte, descubrió un día a Ulises, el enemigo, infiltrado intramuros en Troya. Ulises se había disfrazado de mercader o mendigo para entrar en la inexpugnable ciudad amurallada y encontrar algún punto débil por donde atacarla. Al verse descubierto, buscó indulgencia en la mirada de Hécuba. «Ella sintió clemencia, le dejó marchar», escribió Eurípides. Más tarde, el astuto Ulises urdió el famoso plan del caballo de madera y los griegos terminaron ganando la guerra. La costumbre de aquel pueblo al que tanto admiramos y veneramos era matar a todos los varones del lugar conquistado y repartirse a las mujeres como esclavas. Tal vez mataban a alguna mujer como escarmiento, pero sin dañar toda la mercancía. Hécuba tenía un nieto pequeño y pidió clemencia para él. Su patria había sido arrasada, qué les costaba a los invasores concedérsela; así que solicitó al Consejo de ancianos que dejaran vivir al niño. Podía ser un símbolo de esperanza y regeneración de la vida. El Consejo se sintió conmovido por aquella mujer que lo había perdido todo. Pero entonces intervino Ulises, el astuto, el otro héroe. Estas fueron, más o menos, sus sabias palabras: «Matadlo, si vive no se detendrá hasta vengar a sus muertos y acabará dándonos la lata». Sus órdenes se cumplieron y despeñaron al nieto de Hécuba desde una torre.

Hécuba, piénsatelo bien la próxima vez que el enemigo, dispuesto a matar a tu pueblo, implore piedad. Y, si no quieres portarte como «un hombre», porque las mujeres somos mejores y más buenas, pues no lo mates, somételo a un juicio justo. Pero no le dejes marchar.

En la mitología griega todo se va hilando porque Ulises es el protagonista absoluto de la *Odisea* y aparece también en la *Ilíada*. Es el padre de Telémaco, ese chico que cuando su madre, Penélope, iba a tomar la palabra le dijo algo así como: «Madre, cierra la boca y vete a hacer punto, que hablar en público es cosa de hombres». Nos lo recuerda la estudiosa Mary Beard en su libro *Mujeres y poder*.

Me gusta tanto la mitología griega, y enseña tantas cosas, que podría seguir así eternamente. Pero todo debe tener un final. No obstante, antes de pasar a otros relatos fundacionales, resumamos: Zeus es un dios que viola humanas, ninfas y lo que se le antoja; Hércules, uno entre sus muchos hijos extramatrimoniales, llegó a casa una tarde y asesinó primero a sus hijitos y luego a su esposa; Hera, la diosa más importante, es una amargada; la guerra de Troya se desencadenó porque tres diosas relevantes discutían sobre quién era la más guapa; y Ulises, el héroe victorioso de Troya, ordenó asesinar al único niño vivo de la ciudad conquistada.

Te van a decir que exagero, que algunas de esas historias no están bien documentadas, que no he comprendido nada. Y yo te recomiendo que leas los textos clásicos de nuevo. En cualquier caso, hazte estas preguntas: ¿Cómo es posible que esos textos que narran guerras, traiciones, muerte y destrucción sean tan apreciados y constituyan el núcleo fuerte de nuestra cultura? ¿Cómo es que el cine más actual vuelve a contar estas historias y recuperar estos héroes una y otra vez? Tal vez sea porque a quienes ponen el dinero para realizar estas carísimas superproducciones, en las que los hombres son héroes, les encantan. O quizá sea porque la guerra es considerada la ocasión para que los hombres, los varones, desplieguen sus capacidades y representen a la «humanidad» con sus virtudes y sus defectos. Es decir, con su cólera, su sentido de la lealtad, su amor y su belleza, su valor, su fortaleza y su destreza, su astucia, su capacidad de redención. Ellos, los guerreros, han sido y al parecer siguen siendo, junto con los héroes de Marvel, la representación de los seres humanos.

La *Ilíada* y la *Odisea* son libros fundacionales, forman parte del patrimonio cultural y moral de la cultura occidental y quizá ahí reside nuestro problema. El de las mujeres, y por tanto también el de los hombres y nuestra casa común, la Tierra. Hemos conseguido un gran progreso artístico y técnico pero escaso progreso moral. Pero también forma parte del problema el hecho de que los guardianes de la tradición no toleren que las mujeres hagamos una lectura crítica del pasado. Que cuando lean esto se lleven las manos a la cabeza y en un ingenioso tuit escriban que las feminazis queremos quemar la *Ilíada*. ¡Venga, parad un poco y sentaos a pensar! ¡Incluso una cría de doce años tiene algo más en la cabeza y el corazón! ¡Nuestra casa común está ardiendo y ahí sí que se van a quemar la *Ilíada*, *Mujercitas*, *El segundo sexo* y la biblioteca entera!

A las lectoras de la *Ilíada* nos gusta mucho la fuerza de su primer verso: «Canta, ¡oh, musa!, la cólera de Aquiles». Y lo utilizamos para continuar nuestra particular odisea, el feminismo, el viaje que hemos iniciado juntas hace más de doscientos años y del cual todavía vemos muy lejos el puerto: «Canta, ¡oh, musa!, la cólera de las mujeres». Sigamos subiendo la escalera.

3

Del cristianismo, Padre nuestro

Hay un discurso que sostiene que nuestras raíces cristianas han desempeñado un papel importante en el lento pero progresivo desarrollo de la idea de igualdad. Al ser todos hijos de Dios, subyace una cierta ontología igualitaria: todas y todos somos hermanos. Esta tesis no la defienden solo pensadores cristianos, un reconocido filósofo francés, ateo y comunista, como Alain Badiou también sostiene que el mensaje de Dios, al hacerse hombre y sacrificarse, es un «acontecimiento» que marca el inicio del universalismo. Sin embargo, en mis clases de filosofía y de feminismo he oído muchas veces a los estudiantes sostener justo lo contrario: que la culpa de «todo» la tiene el cristianismo. Al decir «todo» se refieren a las desigualdades, las represiones y las injusticias. Hagamos como en el caso de la mitología griega, vamos a escuchar partes de su relato para así poder valorarlo.

Primera parte del relato: de los orígenes. Dios crea el mundo; Dios crea al hombre a su imagen y semejanza; Dios crea un varón, luego Dios es un varón. Reflexiona para sí: «No es bueno que el hombre esté solo». Mientras este duerme, Dios mete la mano, le quita una costilla y con ella hace una mujer. La ontología ya está ahí, la mujer es el complemento del hombre. Pero ¿por qué no dejó Dios que los varones se siguieran reproduciendo por el sencillo método de la costilla? No se nos explica lo principal, que Eva va a asumir el crucial papel de reproducir a la humanidad.

Este es el mito religioso sobre la creación de Adán y Eva, nuestros primeros padres; bueno, más bien nuestro primer padre y su complemento. Empezamos con la ontología del complemento, y es un mal comienzo. Lo que sigue es aún peor, porque a Eva la responsabilizan de la expulsión del paraíso. El complemento resultó tener una ambición muy por encima de sus posibilidades, e incitó al hombre a desobedecer y plantarse ante el jefe. Esto es un pecado. La maldición que les cayó fue muy distinta e inauguró la doble verdad, a ella le correspondió parir y el dolor, él tuvo que fundar la genealogía de padres, el trabajo y el esfuerzo. En el Antiguo Testamento hay páginas enteras en que solo salen nombres ¡de padres!

Piensa por un momento en una de las palabras principales de la religión cristiana: «padre». Repite estas otras: «Dios todopoderoso». No sé si has tenido educación religiosa de algún tipo, en casa no. Fuimos como tantas familias que optaron por no educarte en ninguna religión, como un gesto de libertad y respeto para no condicionar tus creencias. Pero recuerdo una vez —creo que tenías nueve años— que me dijiste: «Mami, ¿qué es la Biblia?». Fue como cuando tu hermano me dijo, con cinco o seis años: «Mamá, ¿qué es el Real Madrid?». Pensé: «Tengo que explicarles esto». Voy a añadir otra cosa, yo no considero al mismo nivel la Biblia y el fútbol, ni mucho menos. Pero hace poco murió un jugador de fútbol y por los periódicos y las redes se desplegó un varonil consenso. Desde la izquierda antisistema hasta la derecha se dieron golpes en el pecho y gritaron que el que había muerto era Dios. No sé si esto podrá ser otro «acontecimiento» que abra una nueva religión. Espero que no, porque acabaría con el universalismo, pues a la mayoría de las chicas ni les gusta ni les interesa el fútbol.

La Biblia, *cara* Celia, es un conjunto de libros en los que se explica quién es Dios, cómo y por qué decidió crear el Universo y cómo los seres humanos fuimos la guinda de la creación. También el origen del mal, qué es bueno, qué es malo y cómo la muerte no es el final, sino al contrario, el comienzo de una vida mejor. Yo, la verdad es que no tengo fe, la perdí hacia los catorce años como tantas personas de mi generación. Sin embargo, hay una cosa que valoro enormemente del legado de la religión cristiana: *la promesa y la esperanza de que, tarde o temprano, se hará justicia* en el más allá. Es la idea más consoladora que he encontrado: las personas que tanto daño han hecho a la humanidad recibirán su castigo, y las personas a las que la vida ha tratado tan rematadamente mal sin merecerlo, encontrarán la justicia, la reparación a un sufrimiento tan injustificado. Aunque sea en el más allá, valdrá la pena.

Quienes sí tuvimos educación religiosa desde muy pequeñas, aprendimos que Dios, la representación simbólica de lo mejor en su grado máximo, *es un padre, luego es un varón*. Por si podía quedar alguna duda sobre ese tema, en los libros de religión del colegio aparecía siempre dibujado con barba. Habiendo llegado a este punto, quizá digas: «Sí, vale, pero eso es del pasado, no me cuentes más cuentos de la abuela cebolleta. La religión ya no tiene influencia en nuestras vidas». Pero eso no es del todo cierto. Para empezar, millones de niñas y niños en este mundo interconectado siguen educándose de ese modo. Piensa que cada año, seamos o no creyentes, celebramos las navidades y recordamos que Dios se encarnó y lo hizo en otro varón, Jesús, el niño que nace cada 24 de diciembre. Además, Jesús, para cumplir la muy importante misión que le llevó a bajar a la tierra, eligió a otros doce castos varones. Por tanto, los varones y solo los varones son los dignos representantes de Dios en la tierra: papas, cardenales, obispos, curas. Da igual que seas o no creyente. Está en nuestras convicciones más profundas, está representado en todas nuestras creaciones artísticas. Está en todos los museos que visitamos, en la historia del arte. Si algún día vas a Roma, verás las imágenes de la Capilla Sixtina, pintada por Miguel Ángel. En ese gran techo, tal vez uno de los más famosos y visitados del mundo, aparece dibujada la Creación. Dios, un señor de cierta edad, está insuflando vida a otro varón, que es Adán.

Ante ese relato originario, te pregunto: ¿cómo podemos las mujeres tener una imagen medianamente empoderada, como se dice ahora, de nosotras mismas?

No soy de las que piensan que «el cristianismo tiene la culpa de todo», en lo que respecta a la definición de lo que es una mujer y un hombre y cómo deben relacionarse. A decir verdad, incluso veo algunas ventajas en el relato cristiano frente al relato mitológico. En todo caso, estarían empatados. Serían distintos tramos de la misma escalera.

El dios cristiano es un dios, cómo decirlo, espiritual. No tiene necesidades físicas y, menos, sexuales; es la gran diferencia con respecto a Zeus. Es justo y necesario reconocer que la situación de las jóvenes parece mejorar, en cuanto a su seguridad, frente a la arbitrariedad divina. Este dios cristiano no las va a violar ni a engañar, ni a ellas ni a sus madres. Esto parece un cambio extremo y positivo. Fíjate si era humilde Dios que, cuando tuvo el deseo de encarnarse y bajar a la tierra, decidió buscar una mujer que accediera, mediante *el consentimiento*, a ser la madre de su hijo.

Dios, padre todopoderoso, envió un ángel a la tierra y buscó una chica para hacerse padre. Este acontecimiento tan importante se denomina «Anunciación», porque el ángel anuncia a María aquel deseo —tal vez el proyecto divino— y esta, al consentir o asentir, queda automáticamente embarazada. Esa situación fue muy representada por artistas medievales y renacentistas. Aquella joven judía pasó a ser llamada Virgen María. La palabra «virgen» en este caso quiere decir «persona que se quedó embarazada sin "conocer" varón», que era la forma de decir «mantener relaciones sexuales» en aquel entonces. Luego, todo apunta a que María llevó una vida matrimonial estable con José, pero el caso es que no tuvo más descendencia.

Es curioso que, en los cuadros sobre la Anunciación, la Virgen María casi siempre sale leyendo. Si puedes ir al Museo del Prado, en Madrid, no dejes de ver los de Fray Angélico. De paso, admira también los de Sofonisba Anguissola, que no son de la Anunciación pero pinta unos cuadros preciosos.

Es cierto que si Dios te pide «el consentimiento» y tú eres una niña de unos doce o trece años, se plantea un problema filosófico en cuanto al desnivel de poder. Se trata del desnivel típico entre el creador y la criatura que puede llevarnos a cuestionar el propio concepto de «consentimiento». ¿Cómo puede tomarse nadie en serio la posibilidad de que María conteste «No» a su creador? Que le diga algo así: «Gracias, Dios, por haber pensado en mí, pero acabo de casarme con un carpintero, José. Bueno, qué estoy diciendo, si tú eres omnisciente, lo sabes todo».

También podemos pensar que precisamente en este relato ha quedado sellado, es decir, meridianamente claro, lo que se entiende por *el consentimiento de una mujer*. No importa la distancia abismal que exista entre nosotras y quien solicita: somos ontológica y radicalmente libres para consentir o no (¡ejem!). Ya sea tu propio padre, tu jefe o uno que tiene un puño en tu boca, si media el consentimiento no hay injusticia alguna. Dos mil años después, algunos todavía se preguntan: ¿a qué viene esa hipocresía mojigata del «#MeToo» si todas ellas consintieron? Nos hemos desviado, lo reconozco, aunque ya has visto la conexión entre algo que sucedió hace miles de años y un movimiento social muy actual. Pero volvamos al mundo de ayer.

Es importante conocer los mitos y las religiones que forjaron las creencias de nuestras antepasadas. No solo para ser personas cultas, sino también para comprender que las creencias actuales —quizá no las tuyas concretas, pero sí las de tu sociedad— han sido forjadas a sangre y fuego. Su *huella* en nosotras puede ser más profunda de lo que pensamos. ¿Te das cuenta del valor que tiene el pasado para comprender el presente? Día tras día nos llegan noticias sobre señores que han sido unos asquerosos abusadores sexuales de adolescentes. Ahora se les llama «depredadores sexuales». Algunos de estos sinvergüenzas, enemigos de la humanidad, pertenecen al género de los que siguen creyendo que su dinero les permite comportarse como Zeus. Malditos canallas. ¿Han cambiado realmente tanto algunas cosas?

Hay muchos ejemplos sobre la profunda huella de la religión en nuestro presente. Ahora que nos dicen que ya hay igualdad, me ha dado por pensar que cada vez que una niña asiste a clase de religión, o a la catequesis antes de hacer la primera comunión, al escuchar los textos sobre la Creación, lo lógico sería que levantara la mano y con toda educación preguntara: «¿Oiga, señor sacerdote, *¿cómo saben ustedes que Dios es un señor y no una señora? ¿*Cómo lo saben, si solo se ha aparecido una vez y fue en forma de zarza ardiendo?». Es una pregunta lógica, la igualdad sexual tiene que conducir de forma lógica y necesaria a este tipo de interrogantes, de filosóficos interrogantes. Si nadie levanta la mano, si nadie pregunta, sea una niña o un niño, entonces es que la ontología patriarcal sigue vigente y sin problemas. El sistema simbólico sigue vigente. Ahora que ya hay igualdad, Dios es un varón. A nadie le parece raro. La única explicación racional es que niñas y niños tienen interiorizadas la importancia masculina y la insignificancia femenina, por mucho que lleven camisetas con mensajes que dicen lo contrario.

Para complicar un poco más la relación de la religión cristiana con la igualdad entre hombres y mujeres, voy a recordar una anécdota sobre Simone de Beauvoir que me impresionó mucho cuando la leí, hace unos veinte años. Simone de Beauvoir nació en Francia en 1909. En aquella sociedad tremendamente machista, como Simone de pequeña demostraba ser inteligente, su padre siempre decía: «Simone es un niño»; pero Simone no era un niño, ella no tenía derecho al voto. Las francesas no pudieron votar hasta 1945. Aun así, ella era feliz porque pudo estudiar filosofía y ganó unas oposiciones. Fumaba, bebía y conducía. Durante la Segunda Guerra Mundial, y debido al frío que hacía en París, se puso por primera vez pantalones. Hasta que tuvo casi cuarenta años no consideró la posibilidad de que hubiera problemas de desigualdad entre hombres y mujeres. Ella hacía lo que le daba la gana, y las demás también podían hacerlo si querían.

Un día, volviendo para casa, a Simone de Beauvoir se le apareció el feminismo y, de repente, se cayó del caballo. Después escribió *El segundo sexo*, quizá el libro más completo sobre lo que implica ser una mujer en un mundo hecho a la medida exacta de los hombres, de sus deseos y de sus proyectos. Una vez empapada de su conciencia feminista se preguntó cómo había podido, durante tanto tiempo, creer que era igual a los chicos, y la respuesta la halló en la ruda igualdad de su religiosidad infantil: todos éramos hijos de Dios, todos somos hermanos, luego todos tenemos en potencia los mismos derechos.

Con esta reflexión quiero dejar algo muy claro: las religiones son muy patriarcales, sí, por supuesto, pero no son las únicas responsables del abismo ontológico y valorativo entre mujeres y hombres. Por eso he querido explicar algunos elementos igualitarios de la religión que mejor conozco, la cristiana. Del mismo modo, también hay que dejar claro el problema específico de las religiones: que no pueden o no quieren cambiar. Como son fruto de una revelación divina, no quieren reconocer ni cambiar la carga patriarcal tan brutal que llevan. Basta con ver al papa, o a sus cardenales, o a todos los líderes religiosos del mundo mundial —todos son señores—, para señalar el papel de la Iglesia en la reproducción de la desigualdad sexual y, por tanto, en hacer del mundo un lugar más injusto.

Ahora serás tú y tu generación quienes podréis valorar cada periodo de nuestra historia con ojos nuevos. La religión seguirá estando ahí, porque forma parte tanto de nuestro pasado como de nuestro presente. Y porque no podemos comprender este mundo globalizado sin considerar que probablemente la mayor parte de la población tiene alguna idea sobre la existencia de Dios.

La religión no tiene la culpa de todo, ni mucho menos. Sin ir más lejos, la filosofía no hizo casi nada por nosotras durante milenios, si acaso añadir un cerrojo nuevo a la puerta para que no pudiéramos salir del gineceo.

4

De la filosofía y el pensamiento científico

El androcentrismo de la filosofía o cómo aún es posible echarle más cara epistemológica al reparto de funciones y derechos

La mitología y las religiones han sido capaces de ordenar y clasificar el mundo y, para bien o para mal, dar sentido a nuestras vidas. Pero ahora vivimos en sociedades laicas. En las pruebas de acceso a la universidad no te van a examinar de la *Ilíada*, ni de *Las troyanas* ni de la Biblia. Te van a examinar de diez filósofos, de lo que pensaron y dejaron por escrito diez señores como diez estrellas que nos guían bajo el cielo que nos cobija. La filosofía, como sabes, recogió el testigo para ordenar el mundo y dar sentido a la vida humana. La diferencia es que la filosofía no se expresa desde la autoridad, no dice «Zeus es como es y punto» ni «Dios nos ha dejado unas tablas de la ley y punto». La filosofía no recurre al argumento de autoridad, todo lo contrario, busca encadenar argumentos para que, al escucharlos, tu razón los acepte. Expone y aspira a que tú digas: «Es cierto esto que argumentas. Continúa, por favor».

¿Cuestionó la filosofía el mito de que los hombres eran superiores a las mujeres, de la importancia masculina frente a la insignificancia femenina? En principio, más que nada, parece que los filósofos se limitaron a dar las gracias por no haber nacido mujeres. Luego se dedicaron a explicar que lo patriarcal es racional. La filosofía, nos dicen, se centra en cuestionar el orden establecido de forma crítica... Por eso la filosofía desechó la explicación mitológica del mundo y sustituyó el mito por el logos, es decir, por la explicación científica del origen del mundo y del ser humano. Por eso también desechó la explicación religiosa del origen del mundo y del sentido de la vida. Sin embargo, lo cuestionaron todo menos lo referente al orden patriarcal; es más, construyeron unos discursos que explicaban racionalmente que las mujeres eran inferiores a los hombres. ¡Uf, qué mal!

La filosofía es una cierta manera de pensar e interrogar a la realidad. No todo el mundo se hace preguntas, pero la filosofía invita a hacerlas, a cuestionar lo que parece evidente o de sentido común, y luego ya se verá si resultan convincentes las distintas respuestas. Ahora bien, si preguntas acerca del carácter patriarcal de la filosofía es muy probable que te digan que no comprendes bien el espíritu de la filosofía. Vamos a reírnos un poco, que dicen que las mujeres no tenemos sentido del humor: ja, ja, ja. Actúan, aun sin saberlo, como los perros guardianes del patriarcado.

Repetimos nuestra pregunta, una y otra vez: ¿cuestionó la filosofía por qué las mujeres estaban siendo apartadas de todo lo que se definía como «bueno» y «valioso»?

Vamos a ponernos en el lugar de los filósofos, que a las mujeres se nos da muy bien ponernos en el lugar de los demás. Ya estoy en su lugar, los veo, veo que todos tuvieron madres, todos empezaron por ser hijos, alguno luego tendría una hija, pero no la distingo bien. La verdad, ¿no les llamaba ni un poco la atención que los seres que les habían traído al mundo... fueran ontológicamente inferiores a ellos? ¿Eran incapaces de poner entre paréntesis sus prejuicios? A ellos, *nasíos* para pensar, no les pareció pertinente ni relevante un tema que era crucial para la mitad de la Humanidad. Hubo excepciones que se pueden contar con los dedos de las manos, pero tienen nuestro reconocimiento para siempre, entre ellos

Poullain de la Barre, Condorcet, Stuart Mill, Engels, Marx...

Platón fue, aunque solo en parte, uno de los filósofos que se atrevió a pensar que las mujeres podían ser educadas como guerreras, defensoras de la comunidad. Por eso dicen que era un filósofo feminista, pero a su «feminismo» le ponía una limitación muy clara: la cabeza de las mujeres, porque no llegaban a dominar el pensamiento abstracto ni a elevarse al mundo de las ideas. Eso era cosa de hombres, de los filósofos. Platón es uno de los más grandes, y seguimos pensando a partir de las categorías que propuso. Cada vez que pensamos que podemos mejorar, llegar a ser «la mejor versión» de nosotras mismas, estamos siendo platónicas. Era tan inteligente que enseguida se dio cuenta de la importancia que tenía el tema del sexo, del hecho de nacer hombre o mujer. Y también era agradecido, así que supo dar las gracias: «Doy gracias a los dioses por tres cosas, una por no haber nacido mujer...». ¡Platón, hijo, córtate un poco, que estamos escuchando! No nos consta que hiciera nada por las mujeres reales de su tiempo. Así nos lo cuenta Amalia González en su libro *La conceptualización de lo femenino en la filosofía de Platón*.

De cómo los hijos son engendrados por los varones: Aristóteles el empirista

Aristóteles fue discípulo de Platón. Era el más listo de la clase y muy observador. Es de los que sostienen que todo el conocimiento comienza con la observación y la experiencia. Pues bien, este empirista, en su teoría de la biología, dice que las mujeres tienen un diente menos que los varones. Aristóteles, *el observador*, ¿de dónde sacaría esto? De la experiencia no, pues hubiera bastado que le pidiera que abriera la boca a cualquier mujer, no para charlotear como hacen las mujeres sin descanso, sino para contar sus dientes en un alarde de empirismo y amor a la comprobación. Pues no, lo sabía por intuición; como las mujeres son inferiores, es lógico que les falte una costilla por aquí, un diente por allá... Al igual que tantos genios, el estagirita Aristóteles se topaba con «el misterio de lo femenino».

Las mujeres somos para Aristóteles como hombres pero sin llegar a serlo, no damos la talla. Parecidas pero de un estadio inferior, seres humanos con el pack de serie más básico. Eufemismos aparte, según Aristóteles, las mujeres somos inferiores física, intelectual y moralmente. El férreo prejuicio de Aristóteles frente a las capacidades de las mujeres, o al revés, el afán de engrandecer a los varones, le llevó a sostener lo que era un lugar común en su tradición: las mujeres, más bien de materia inerte y pasiva, no podían ser las responsables del creativo acto de engendrar a un bebé. El engendrar e insuflar la forma es tarea del padre, la mujer se limita a la función de horno, vasija o mero contenedor reproductivo. Esto, asombrada Celia, está en nuestras apreciadas raíces occidentales, tanto filosóficas como comerciales. Aristóteles, amigo de los lugares naturales, buscaba también en su filosofía el sitio de las mujeres. No solo nos define como «hombres defectivos» sino también como «vasijas vacías».

Frente a cierto discurso de la excelencia sobre la mujer como madre, sorprende descubrir que, en realidad, la filosofía y la ciencia nunca nos asignaron a las mujeres un papel relevante en la función reproductora de la especie. Como teorizara Aristóteles y luego recogiera la teología cristiana, la reproducción depende del semen creador, responsable de insuflar la forma y el alma humana al embrión. Por eso, los hijos «son» realmente de los padres. Así lo explica María Luisa Femenías, especialista en Aristóteles, en su obra *Inferioridad y exclusión. Un modelo para desarmar*. Los varones, juez y parte, se autodefinieron como el principio activo de la reproducción y, de paso, se autoadjudicaron la patria potestad y los derechos legales sobre los hijos. Esta es la razón de que cuando los hombres no querían reconocer a un hijo biológico suyo, es decir, ponerle su apellido y asumir parte de su crianza, se le consideraba como un hijo «natural», es decir «no cultural»; también se le consideraba un «hijo ilegítimo». Fíjate en la claridad con que lo expresa el lenguaje y lo sorprendente que resulta. Ese niño no estaba «legitimado» por su padre para nacer. En la época de la Revolución francesa nacían casi tantos niños legítimos como ilegítimos en Francia. Las inclusas y los hospicios que recogían a bebés abandonados no daban abasto. El gran filósofo Jean-Jacques Rousseau abandonó a cinco bebés que llevaban su semen, pero no su voluntad de hacerlos hijos suyos. Fueron simples y sencillas bastardas y bastardos. Esto explica también el hecho asombroso de que las hijas y los hijos llevemos el apellido de nuestro padre, porque, de alguna manera, parece que nuestras madres no pudieron desprenderse totalmente del hecho de ser consideradas objetos de alfarería.

La realidad es que por mucho que la sociedad tienda a idealizar la maternidad y sostener que «los hijos son de las madres», durante siglos los hijos fueron legalmente de los padres, la patria potestad era suya. Filósofos y científicos se unieron para ningunear la aportación de las madres a su concepción y nacimiento. Hay un dato que es necesario retener: en España, hasta 1975, los hijos eran legalmente de los padres, de los varones. De alguna manera, incluso podían dar en adopción a «sus» hijos sin el consentimiento de las madres. Hasta la reforma de la ley aprobada en 1999, los hijos no podían llevar en primer lugar el apellido de la madre, ni siquiera con el consentimiento explícito del padre. Solo los hijos de las madres solteras, es decir, los hijos «sin padre» podrían llevar el apellido de sus madres en primer lugar. Finalmente, una ley de Registro Civil de 2010 reconoce que, en una sociedad formalmente igualitaria, madre y padre tienen que sentarse a negociar el orden de los apellidos. Pero ¿qué sucede si la madre y el padre no llegan a un acuerdo? Bien podría acordarse que, si la madre es la que ha gestado al bebé, pase a prevalecer su apellido en caso de conflicto. Pero esto sería tanto como trastocar desde el origen la genealogía patriarcal. Lo que se ha determinado es que decida el orden alfabético o incluso el funcionario del registro.

El novedoso mercado de vientres de alquiler

Una ontología tan anclada en nuestra memoria puede siempre reaparecer. Vamos a trasladarnos, por unos momentos, al presente.

La función de las mujeres como meros contenedores reproductivos no ha sido solo cosa del pasado. Hoy estamos asistiendo con asombro a una nueva versión del uso de las mujeres como «vasijas vacías» para la reproducción. En este caso, para la reproducción de personas que, por distintas causas, otras mujeres no pueden o no quieren gestar en sus cuerpos. Vamos a tratar el tema de lo que se denomina «gestación subrogada», «gestar para otro» o «paternidad intencional», y que lleva aparejada la creación de palabras como «madres sustitutorias» o «cuerpos gestantes». Estas denominaciones, que son parte de la ontología, de cómo percibimos lo que «es», no son indiferentes, ni mucho menos, como han explicado filósofas como Alicia Miyares y constitucionalistas como María Luisa Balaguer. Estas palabras están determinadas por una posición moral y política ante las presiones para aceptar esta práctica como un tema más de mercado, de oferta y demanda.

Lo que la mayoría de la gente no quiere mirar de frente es que el comercio de los vientres de alquiler es una práctica que está normalizada y reglada. Esto sucede en los países más neoliberales, en los que el mercado no tiene casi límites, como es el caso de Estado Unidos, pero también, y de forma cada vez más frecuente y generalizada, en países muy patriarcales, en los que el uso de las mujeres de las capas más bajas de la sociedad no tiene demasiados límites, por no decir ninguno. Mucha gente no quiere mirar la realidad de frente, prefiere seguir en la caverna, y más ahora que le han puesto wifi a la caverna.

Las nuevas tecnologías siempre han irrumpido con una promesa de mayor igualdad y felicidad para la mayoría, pero la realidad es que hoy en día es su posibilidad de conquistar nuevos mercados como objetos de consumo lo que determina su expansión. Los criterios morales que sostienen que no todo lo tecnológicamente posible es éticamente realizable parece que deben quedar para la «opción personal», la libre elección de usar o no tales técnicas.

Las nuevas tecnologías asociadas a la reproducción de la especie y los conceptos de «maternidad» y «paternidad» tienen que ser objeto de conocimiento y reflexión. Algunas técnicas han propiciado el control de las mujeres sobre su capacidad reproductora y han conseguido que biología no sea destino al separar la sexualidad de la reproducción y al conseguir, por tanto, que la maternidad sea parte de un proyecto de vida adulta, no fruto de un hecho biológico adolescente. Pero las técnicas suelen tener al menos dos caras para la vida y el proyecto humanos. Como observaron los sociólogos del siglo XIX, las nuevas libertades traen también aparejadas nuevas inseguridades y nuevas formas de servidumbre antes inimaginables.

Con las nuevas técnicas reproductivas encontramos situaciones que pueden llegar a hacer factibles algunas pesadillas de ciencia ficción, como la conversión de una clase de mujeres en úteros gestantes o la proliferación de «granjas de mujeres». La reproducción in vitro unida a la globalización, que acerca la pobreza y la abundancia, está encontrando nuevas formas de usar los cuerpos de las mujeres en el mercado transnacional. Y dentro de su carácter minoritario, esta práctica es cada vez más popular. En palabras de la filósofa María José Guerra, estamos ante una bioética para privilegiados.

Veamos los hechos. Si tecleas «vientres de alquiler» en Google, aparecen en primer lugar las clínicas que ofrecen sus servicios a los potenciales clientes. Es muy interesante observar el tono de los textos que aparecen en las webs de estas clínicas, como por ejemplo:

> Cuando la futura madre no es capaz de sobrellevar un embarazo por cualquier razón, una madre de alquiler es una opción maravillosa. [...] la madre subrogada ofrece a los futuros padres la oportunidad de contribuir con todo o parte del material genético del niño, a la vez que garantiza que los embriones se transfieran a un útero que se ha comprobado que está sano.
>
> [...] Los médicos de XXX Center cuentan con varios años de experiencia compartida a la hora de ayudar a sus pacientes a convertirse en padres mediante la subrogación gestacional. Nuestro compasivo equipo de especialistas está aquí para asistirle independientemente de su nacionalidad, orientación sexual o estado civil.
>
> El XXX Center ofrece unas habilidades en la selección y monitorización de las gestantes subrogadas de

vanguardia a nivel internacional, así como en la coordinación de pacientes remotos o ciclos de FIV por donación de óvulos. Si está considerando utilizar una gestante subrogada para construir su familia, el equipo experimentado le ayudará a navegar por el proceso para crear su propio milagro.

Esa clínica ofrece una definición de la gestación subrogada como si se tratara de una «nueva realidad»: «La subrogación se define como un acuerdo donde una mujer accede a quedarse embarazada y tener un hijo para otro/a futuro padre/madre». Y se añade que la subrogación es un proceso complejo que implica a médicos, psicólogos y profesionales jurídicos para asegurar que el procedimiento sea acertado tanto para los futuros padres como para la madre subrogada. De los dos tipos de madres de alquiler o sustitutas que ofrece esa clínica, se recomienda la segunda (FIV), en la que la madre de alquiler no tenga ningún vínculo genético, y explican que «es el método preferido, porque la portadora de la gestación no tiene lazos genéticos con el bebé. Por lo tanto, potencialmente, hay menos riesgos emocionales, psicológicos y legales comparados con la subrogación tradicional».

El texto es revelador porque menciona los riesgos emocionales, pero sobre todo porque habla de algo importante, la «nueva» concepción de la maternidad y la paternidad como la carga genética, únicamente. Antes, la madre era la que paría físicamente. Ahora, gestar y parir ha regresado a su origen aristotélico: las mujeres, o al menos una categoría de ellas, no tienen valor engendrador, la nueva vasija vacía ha generado un hijo que no es suyo. ¿Qué te parece esta nueva verdad? Una mujer embarazada de nueve meses se toca la tripa y dice: «Este hijo no es mío». ¿Es acaso este el camino que pedimos que siga la ciencia y la tecnología, poner los medios para convertir a una clase de mujeres en reproductoras?

Esto es lo importante de conocer el pasado y las creencias que se han ido forjando durante miles de años. Podemos comprender mejor la línea que une la dichosa escalera patriarcal, las viejas y las nuevas esclavitudes.

La Ilustración: al fin llegan las Luces y la gran decepción

La Ilustración y la Revolución francesa representan los momentos simbólicos y materiales en los que se forja otro gran relato fundacional en las sociedades occidentales. El Antiguo Régimen dejará paso a la lucha por las democracias y a una nueva ontología, ética y política. Un nuevo texto «sagrado» sustituyó a aquellos otros sobre los orígenes, los que tenían como protagonistas a los padres, Zeus y Dios Padre todopoderoso. Ese nuevo texto, de 1789, precioso y considerablemente más corto que sus predecesores, es la *Declaración de los Derechos del Hombre y del Ciudadano*. En el preámbulo dice: «Los representantes del pueblo francés, constituidos en Asamblea Nacional [...] han resuelto [...] los siguientes derechos del Hombre y del Ciudadano». Y continúa con el artículo número 1: «Los hombres nacen y permaneces libres e iguales en derechos». ¡Al fin! ¡Adiós servidumbre!

Arrastradas por los nuevos aires de libertad y por la alegría, formulamos nuestra pregunta: ¿estaban las mujeres incluidas en el «Los hombres»? Dime la verdad, ¿tú sospechas algo? Antes de contestar, sitúate, contextualiza, piensa que estamos casi en el siglo XIX. Y que todo el siglo XVIII ha sido el siglo de la Ilustración, el Siglo de las Luces. El siglo que ha explicado que ha llegado el momento de que el hombre abandone la tradición y los prejuicios y salga de la minoría de edad y el infantilismo. Todos los filósofos coincidieron en que la «razón» debía ser el instrumento para sellar un nuevo pacto social, redactar juntos y entre todos una nueva forma de gobierno, un nuevo Contrato Social. «¡Atrévete a pensar por ti mismo! *Sapere Aude!*» Esta es la consigna que mejor resume el espíritu de la Ilustración. Esta y el eslogan más coreado en las calles en los inicios de la Revolución francesa: «*Liberté, Égalité, Fraternité*».

No sabes cómo siento tener que decirte esto, Celia, pero la verdad es la verdad: no estábamos incluidas. Al final, parece que la revolución iba más de la *fraternité* que de la *égalité*. Es decir, el argumento era la igualdad y la libertad entre hermanos varones.

«¡Noooo!», dirás. Pues sí.

A la Revolución francesa puedes llamarla, a partir de ahora, «la gran decepción». La primera de las grandes decepciones que desde entonces hemos tenido las mujeres con nuestros hermanos, los hombres.

La Revolución francesa duró varios años y las mujeres fueron también las protagonistas de sus acciones en las calles. Por eso, más que nunca, las mujeres creyeron, pensaron, que estaban incluidas en el «Los hombres». Fue un lento despertar, o un auténtico batacazo, cuando comprobaron que sus hermanos, con los que estaban luchando codo con codo, les dejaban sin derechos; bueno, con uno, el derecho a cuidarles. Los revolucionarios se encerraron en un Parlamento para hacer la nueva Constitución de la Francia libre. Allí, donde las mujeres tenían prohibida su entrada, aquellos cuyos nombres aprendiste (Robespierre, Danton, Marat...) tuvieron la oportunidad de cambiar las leyes: aprobar derechos políticos para las mujeres y una enseñanza igualitaria para niñas y niños, pero se manifestaron en contra y con absoluta buena conciencia. A veces, llego a pensar que con solo comprender estos hechos a fondo, lo comprendes todo.

El gran cambio ontológico fue instaurar que todos los varones nacen libres e iguales. La metafórica ejecución del padre, del rey Luis XVI, simboliza el nuevo poder igualitario y democrático de los hermanos. Ninguno es más que nadie. La ejecución de la madre, María Antonieta, significó la ocasión para dar un escarmiento a las mujeres, derrochonas, vanidosas y coquetas. A María Antonieta le raparon el pelo, la vistieron con un saco y murió oyendo la palabra «puta»; ¡bah, si ni siquiera era francesa!, había venido siendo una chiquilla a gestar herederos en su real y aristocrático horno. Al morir el padre, los hermanos toman el poder y uno de sus primeros actos políticos será el de someter a las hermanas. Luego, un poco más adelante, verás como pactan para intercambiárselas.

Las mujeres fliparon. No lo digo metafóricamente, porque no se quedaron quietas, pues tenían experiencia política y estaban organizadas. En 1791 la autoconciencia de las mujeres se forjó al darse cuenta con estupor de la enorme traición de los revolucionarios.

La gran Olympe de Gouges, una revolucionaria, escribió en 1791 la *Declaración de los Derechos de la Mujer y de la Ciudadana*. De Gouges decía: «Hombre, ¿eres capaz de ser justo? [...] Dime, ¿quién te ha dado el soberano poder de oprimir a mi sexo? ¿Tu fuerza? ¿Tus talentos?». Y, entrando ya en materia de derechos, continuó: «Las madres, las hijas, las hermanas representantes de la nación, piden que se las constituya en Asamblea Nacional». A De Gouges no se le constituyó una asamblea, pero sí una sobria y elegante guillotina que le rebanó el cuello al atardecer.

La Asamblea Constituyente, como buen producto de la Ilustración, presentó un nuevo proyecto educativo que no olvidaba la educación de las niñas: tenía claro que su objetivo era ceñirse a los trabajos domésticos. Cuando Mary Wollstonecraft, una entusiasta seguidora de la Revolución francesa, leyó el anteproyecto de ley del ministro de Educación, el sibilino Talleyrand, no podía creérselo. Para ella la educación era el principio de todo. Una de las maneras de poner fin a la sangrante doble verdad que a su juicio destruía la materia moral de la sociedad: la igualdad, la libertad, el esfuerzo, la lucha. Los revolucionarios, sin embargo, estaban consagrando a la mujer doméstica y servil como el modelo de la nueva república.

Cuando todos los hermanos se unieron para dejar fuera a «la mujer», las revolucionarias fueron atando cabos. Una de ellas escribió que «las mujeres somos el tercer estado del tercer estado». Las mujeres de todas las clases sociales iban a quedar por debajo de todos los hombres. La revolución había triunfado, todos los hombres varones eran ya simbólicamente iguales (la economía y la etnia ya se vería, pero la homologación ontológica y política la tenían).

A eso, Carole Pateman lo bautizó con las mismas palabras que daban título a su libro *El contrato sexual*. Pateman se refiere a un contrato no escrito, tácito, por el que todos sabían que las mujeres no eran hombres y, por tanto, no eran ni libres ni iguales, y resultaba mejor no hacerlo explícito. Según Pateman, el contrato consistía en repartirse a las mujeres, una para cada ciudadano, y muchas para todos, las prostitutas. De ahí les viene el nombre de «mujeres públicas», al igual que los baños públicos son de libre acceso, aunque pagando.

Las mujeres lucharon y se revolvieron, muchas fueron encarceladas y ejecutadas. Por traidoras a la patria. Fíjate, Celia, qué revelador, el derecho penal ha sido el único que ha reconocido siempre a las mujeres como seres plenos de facultades, sin déficit ontológico alguno, «iguales» a los hombres. El derecho civil dice: las mujeres han de estar bajo la tutela de los hombres porque las mujeres no saben lo que hacen, son como niñas grandes. Pero, entonces, ¿en nombre de qué las considera responsables el derecho penal? ¿Por qué no las considera como a los niños, unas inimputables?

Las mujeres han sido tratadas como incapaces para disponer de su vida, pero radicalmente libres para pagar caro, hasta con la muerte en la guillotina, sus «malas» acciones. «¡A juicio y a la cárcel, inmoral, traidora a la patria!» «¡Pero qué dice este hombre, socorro, no, no llamen a un abogado, llamen a un filósofo, él le explicará que las mujeres no tenemos buen sentido del juicio! Señor juez, piedad, se equivoca, lea a Aristóteles. Ya me da mi esposo unos latigazos en casa y asunto terminado.»

En eso consiste el androcentrismo de la filosofía clásica y, a menudo, de la contemporánea, en solapar el concepto de «ser humano» con el de «varón». Claro que tenemos un problema con el lenguaje. El mero hecho de sustituir la palabra «varón» por «hombre» resulta extremadamente rentable. Cuando se te necesita, estás: «Todos somos iguales; venid, mujeres, a luchar»; y cuando ya se ha conseguido el objetivo, se vuelve a leer la misma frase: «Disculpad, pero quizá no habéis leído bien el texto, aquí dice "hombres"». Cuando se dice solo «hombres» no significa que los animales y las plantas estén excluidos. Lo leí una vez en un artículo y me reí con ganas. Cuando un filósofo varón piensa en «el hombre», en realidad piensa en «el varón». Lo mismo sucede en la religión, que cuando se piensa en «Dios», se piensa en un varón con barba y de cierta edad. Por eso encontramos tantas obras de historia o de pensamiento en las que, de repente, aparece un capítulo, corto, sobre «la mujer». Pero repárese en que el resto del libro no era sobre «los varones», era sobre los seres humanos. Y esta identificación entre «seres humanos es igual a varones» y «mujeres es igual a sexo femenino de la especie humana» es lo que una filosofía verdaderamente filosófica, universalista, no puede seguir tolerando.

Quiero recordar, aquí y ahora, el hecho de que filósofos tan admirados y supuestamente transgresores como Rousseau y Nietzsche han legitimado nuestra exclusión de la vida pública y nuestra condición natural para dedicarnos solo a cuidar a los demás. No puedo dejar de citar a Rousseau, aunque he de reconocer que, en parte, me molesta contribuir a la fama de este ilustrado. De Rousseau siempre se dice que fue uno de los filósofos más igualitaristas, pero en realidad legitimó la exclusión absoluta de las mujeres de ese club privado que ha sido la humanidad.

Rousseau escribe una obra cuya influencia no puede exagerarse, *Emilio*, con la que, según se dice, fundó la pedagogía moderna. Esta obra, con título de varón, pretende explicarnos cómo hay que educar al «ciudadano» para una democracia participativa, porque la democracia representativa le parecía insuficiente a este defensor de la democracia directa. En sus cientos de páginas leemos sobre la importancia de la transparencia, la verdad, la participación en la vida pública y política. Pero hay un capítulo extraño, que no hace juego con los demás. Se titula «Sofía», qué detalle. Pero espera, si ahora aparece una joven, en realidad las mujeres no éramos las destinatarias de todos los demás capítulos, los que trataban sobre el ser humano. Nuestra misión en la nueva sociedad queda retratada con precisión. Cito a Rousseau: «Cuidarnos y hacer que nuestras vidas sean más fáciles y agradables, estas son las funciones de las mujeres en todo tiempo y lugar y para lo que deben ser educadas desde la infancia».

Sofía está para cuidar a Emilio, para que vaya limpio y comido al Ágora, a darlo todo por la igualdad y la democracia; para relajarlo con sus atenciones de la dureza que entraña lo público. Dejo constancia de mi admiración por *monsieur* Rousseau. Pocas veces se ha escrito con tanta claridad, sencillez y contundencia sobre los fines de un sistema de dominación: «... que nuestras vidas sean más fáciles y agradables». Este es, en el fondo, el argumento que explica toda la historia del sometimiento humano. Para qué querría un ser humano el poder, para que su vida sea más fácil y agradable. Os recomiendo que leáis el capítulo.

Ahora, supongo que estaréis de acuerdo conmigo. Si la historia y los filósofos consideran a Rousseau el «gran igualitarista», es lógico que los varones no acierten a comprender qué diablos queremos las mujeres. ¿De qué nos quejamos si, como dirá Ortega y Gasset un siglo y medio después, «la mujer es feliz entregándose»? ¡Vaya morro!

Esto es lo que Celia Amorós denomina «el morro episte-mológico de los filósofos».

Mientras los manuales sostengan que la obra *Emilio* es un monumento a la igualdad, seguiremos en la ontolo-gía del complemento. De vez en cuando, me asomo a la *Wikipedia*, a ver si alguna guerrillera de la objetividad y el conocimiento ha denunciado «la doble verdad» en la entrada del *Emilio*. Así lo vienen haciendo Montse Boix y otras wikiactivistas que llaman a las jóvenes a colaborar en esta nueva Enciclopedia.

De Nietzsche, el gran transmutador, pero «la mujer es el juguete más peligroso»

No ha sido solo la filosofía de la Ilustración la que ha con-fundido «ser humano» con «varón», y viceversa. Quiero convocar aquí a un filósofo alemán, Friedrich Nietzsche, uno de los preferidos de nuestros estudiantes, un autor que les fascina. Dices en clase: «Escuchad, tenéis que hacer un trabajo para el segundo parcial». El tema es li-bre, pero todos tienen que tomar como referencia al mis-mo autor, ¿a quién escogen? A Nietzsche. Estupendo, ya he dicho que me considero discípula suya. Sobre todo, en lo de filosofar a martillazos y en aquello de la «transmutación de los valores» (como sé que hay varias traducciones de la palabreja, lo digo ahora en alemán... ¡Que nooo, era broma!).

¡Ah, Nietzsche!, el que habla de transmutar todos los valores, el que detesta el cristianismo, porque sostiene que es una religión de pobres de espíritu, de enemigos de la vida, de mezquinos e impotentes. El estudioso del mundo clásico, el que sostiene con vehemencia que hay que restaurar al héroe. Aquiles, el homicida.

Es siempre estimulante asomarse a lo que escribe «el gran transgresor», el que sostenía que iba a «transmutar todos los valores». ¿Todos los valores, Nietzsche? Él podría haber respondido: «Sí, todos menos los patriarcales, esos los voy a dejar exactamente como están». En *Así habló Zaratustra* encontramos el capitulito «De las mujeres viejas y jóvenes». Quinientas páginas dedica el filósofo a explicar la gestación de la idea del «superhombre», mientras que con tres o cuatro páginas despacha el tema de «las mujeres». Pero no es solo que nos dedique tres o cuatro páginas o que merezcamos un capítulo o una nota a pie de página en la filosofía que se identifica con el ser humano neutral, que es el varón. No. Lo importante a considerar es lo que se dice en ese capitulito.

Esta es la cuestión que plantea Nietzsche en su breve capítulo: ¿qué es la mujer para el varón? «Dos cosas quiere el varón auténtico: peligro y juego. [...] El varón debe ser educado para la guerra, y la mujer, para la recreación del guerrero. Todo lo demás son tonterías», escribe Nietzsche. Tonterías y bien gordas parecen sin duda las que salen de su boca, con la salvedad de que estas tonterías han contribuido a conformar el destino de las mujeres, porque, como veremos, nos las encontramos tanto en la alta filosofía como en la cultura popular. ¿A quién no le va a sonar lo que sigue? «Los frutos demasiado dulces al guerrero no le gustan. Por ello le gustan las mujeres: amarga es incluso la más dulce de las mujeres.»

Tras este batiburrillo aparece el asunto del temor de los hombres a las mujeres: «Tema el varón a la mujer cuando esta ama: entonces ella realiza todos los sacrificios, y todo lo demás lo considera carente de valor. Tema el varón a la mujer cuando esta odia: pues en el fondo del alma el varón es tan solo malvado, pero la mujer es allí mala». Este capítulo termina con un sentido consejo por parte de una mujer vieja al bueno de Zaratustra: «Si vas con mujeres, no olvides el látigo».

El texto de Nietzsche deja claro que las mujeres «salen en el libro» únicamente porque se relacionan con varones. Recordemos la filosófica pregunta: «¿Qué es la mujer para el varón?». Además, condensa un muy conocido discurso en el que, bajo la apariencia de «pensamiento» y «profundidad», no encontramos más que tópicos, lugares comunes y una superficialidad indignas de un filósofo. Independientemente de la verdad o la falsedad, de la mezquindad de las reflexiones sobre las mujeres, ¿qué está diciendo Nietzsche en realidad?

Sí, mujer, si ya sé que Nietzsche dijo otras cosas muy interesantes, como que Dios había muerto. Pero se le pasó observar que el patriarca seguía cada vez más vivo y con renovadas ganas de sustituir a Dios.

Al fin llega «el pensamiento científico»: ¿han evolucionado las mujeres? Salvadas por la campana

El ser humano, ya lo estamos viendo, no ha tenido siempre las mismas creencias acerca de quiénes somos ni de dónde venimos. *El origen de las especies*, publicado en 1859, es uno de esos libros cruciales que cada cierto tiempo alteran la autoconciencia de la humanidad. En esta obra, Charles Darwin explicaba con argumentos científicos que el hombre no había sido creado por ningún Dios o ser superior. No, el hombre era y es el refinado producto final de un largo, muy largo, proceso de evolución. Y, bueno, como sabes, afirmaba que venimos o procedemos de los monos. Esta teoría fue recibida con carcajadas, estupor o desprecio, dependiendo del tipo de público y sus creencias. Finalmente, los argumentos y las evidencias empíricas se impusieron; excepto en algunas partes de Estados Unidos, donde siguen pensando que la teoría de la evolución es opinable... «Esto de la evolución no me convence.»

Por nuestra parte, armadas con la palanca ontológica vamos a interrogar a aquella nueva y revolucionaria visión evolucionista de la humanidad. ¿Qué hay de las mujeres en la obra de Darwin? ¿Habían evolucionado también las mujeres? ¿Veníamos nosotras también de la mona? Esperamos mucho de la ciencia y del pensamiento científico, ese que deja atrás los prejuicios. Sería ciertamente improbable que esta teoría, tan atrevida, defendiera que solo el monovarón (mono macho) había evolucionado.

Toma asiento, sensible Celia, o haz lo que quieras, pero vas a alucinar con la respuesta de míster Darwin: las mujeres no evolucionaron «solas». Para Darwin, las mujeres hemos sido espectadoras o partes pasivas de la evolución. Tal y como explicara esta teoría comprometida con la verdad, solo evolucionaron los machos de la especie, y solo «gracias a que transmiten su herencia genética a sus hijas», las mujeres heredaron los genes nuevos y buenos, con el pin de la inteligencia incorporado.

Esto ya clama al cielo. No creo que la comunidad científica se atreva hoy a sostener que «en aquella época era normal» que se pensara así sobre las mujeres. En aquella época lo que no era normal es que se dijera que veníamos del mono, pero pasó a serlo con las pruebas aportadas. Cuando Darwin vivía y publicó su libro, las mujeres dieron más que «pruebas» de sus capacidades; es más, estaban luchando en las calles por sus derechos. Pero ¿qué criterio de «normalidad» manejan quienes siguen sosteniendo el argumento de «en aquella época»? La realidad es que Darwin tenía muchos prejuicios contra las mujeres y era un perfecto cateto en su concepción de las mismas. Como tantos científicos y científicas, ser muy bueno en un tema específico no te libra de ser un ignorante en otro. Lo importante es el futuro, y creo que podemos y debemos explicar esto en los institutos: que el espíritu científico de Darwin estaba limitado a «lo suyo». Así, con esta sencilla explicación, las chicas y los chicos sabrían mejor de dónde venimos, aparte del mono. Venimos del patriarcado, y esto tampoco es opinable, es ciencia.

Es importante enseñar en clase que durante más de un siglo ha prevalecido como ciencia lo que ahora llamamos «el mito del varón cazador», el mito científico por el que los hombres se han autodescrito, sin cortarse un pelo, como los responsables del proceso evolutivo, de las innovaciones que nos definen como seres humanos. Como señalan las especialistas, hasta hace poco a los machos de la especie se les ha atribuido «todo»: el paso a la posición erecta, el necesario agrandamiento del tamaño del cerebro, la comunicación cooperativa y las representaciones simbólicas. Lo atribuyen casi todo, de manera supuestamente científica y objetiva, a la función que les correspondió en suerte: luchar por traer alimentos a sus crías y luchar por protegerlas. Y parece que hay un empeño más que científico en hacernos creer que «de la caza y la guerra procede todo lo humano», no solo las innovaciones biológicas sino también las invenciones técnicas y artísticas: el lenguaje, el fuego, las lanzas, las pinturas de Altamira.

Los machos cazadores «debían luchar por la supervivencia en actividades peligrosas que exigían gran inteligencia». Este motor de la especie, la caza, los condujo tanto por la senda del valor y el coraje, para cazar al mamut, como por la senda de la cooperación y la creación del lenguaje y las estrategias, para cazar juntos al mamut. Pero también los llevó por la senda de la sana competitividad y el esfuerzo personal para cazar más y mejor al mamut. Así que de la caza ha salido todo lo específicamente humano. Y, luego, se sobreentiende que aquellos cazadores, entre mamut y mamut, inventaron el fuego, la cesta, la rueda, el carromato, todo para llevarse el santo mamut a casa. Suena coherente y razonable este relato.

¿Qué hacían mientras tanto las mujeres? Probablemente, vaguear con pereza y poca ropa por la cueva y sus alrededores. Según el razonamiento de Darwin, como las mujeres «solamente» se dedicaban a procrear y criar, cual mamíferas, su papel no pasaba de la mera repetición de lo mismo: un hijo, teta; otro hijo, teta; y así hasta la muerte en algún parto un poco malo. Se ve que para traer hijos al mundo puedes estar casi en estado vegetativo. Tus antepasadas, querida Celia, no luchaban, no cazaban, luego no se enfrentaban a situaciones nuevas y complejas, no necesitaban cooperar, solo realizaban tareas pasivas y repetitivas. Al no necesitar pensar, sus cerebros no evolucionaron con la rapidez del cerebro de los varones ni del de los mamuts, supongo, pues también andarían evolucionando por todas las situaciones nuevas en que les metían esos cazadores humanos. ¡Vaya crack, Darwin!

Lo que sucedió —siguiendo con el enfoque de Darwin— fue que la capacidad para pensar, que estaban desarrollando nuestros antepasados machos, acabó destacando como un factor más apto para la supervivencia y, por tanto, pasó el test de la selección y se convirtió en un nuevo rasgo humano. Solo gracias a que los «padres» transmiten su herencia y sus caracteres a través del semen, las niñas heredaron tal rasgo y consiguieron *catch up*, es decir, ponerse al día, con la evolución masculina. Repite conmigo: «Gracias, hijos míos, digo "padres nuestros"». Darwin lo remata bien: «Si no fuera por la ley de igualdad en la transmisión de la herencia, la diferencia física e intelectual que nos separa de las mujeres aún sería mayor de lo que es». Hay que precisar que Darwin, como Nietzsche, se enfrentó con nobleza y valentía a la visión creacionista del cristianismo y la Iglesia. Pero nosotras les encontramos un tremendo aire de familia a todos ellos: vamos entendiendo mejor que lo de «Padre nuestro, que estás en los cielos, santificado sea tu nombre» no está tan lejos del «Padre nuestro que nos has evolucionado, santificado sea tu cacumen».

Bueno, Celia, si eres una sencilla estudiante con fe en la ciencia, quizá este relato sobre los orígenes de la evolución te ha generado una crisis de empoderamiento. Has leído el relato de Darwin y parece que todo casa tan bien, es tan lógico... ¡Ay, madre!, imagino tus preguntas: ¿Seremos realmente inferiores? ¿Deberíamos empezar de una vez a cazar y no parar, hacernos con una escopeta, asaltar el Capitolio? Vamos a convocar a la razón, es decir, a una teórica feminista con cabeza, en este caso a Alexandra Kollontai. Esta notable pensadora de principios del siglo XX le dio un buen revolcón intelectual al mito del varón cazador. En su razonable relato explica que la evolución de la especie la protagonizaron las mujeres. Todo. Desde la posición erecta hasta la creación del lenguaje y, por supuesto, la invención de la agricultura. Sigue leyendo, verás cómo se te pasa la crisis.

Las mujeres, efectivamente, a causa de su capacidad reproductora, no salían con las partidas de caza de las tribus sino que permanecían en un lugar estable con sus hijas e hijos. Cuando se les agotaban las provisiones, si es que las tenían, se convertían en las únicas proveedoras del alimento, por lo que tuvieron que desarrollar notablemente capacidades como la observación y la reflexión. Es muy probable que fueran quienes concibieran la idea de la agricultura y quienes empezaran a trabajar la tierra. Por ejemplo, si eran nómadas observaron que, donde habían acampado el año anterior, brotaban nuevas plantas. ¿Y si los desperdicios que dejaron fueron la causa de esas nuevas matas? De paso, comenzaron a darle vueltas al principio de causalidad: a esta planta la voy a llamar «efecto», y todo efecto puede tener una causa. También repararon en las categorías de «tiempo» y «espacio». Es más que probable que, al estar tan ociosas, les diera por revolver la tierra, trabajarla y hacerse de una vez sedentarias.

De igual forma, las mujeres, al no salir de caza, debieron de haber sido las primeras arquitectas, constructoras de cobertizos para proteger y protegerse de las inclemencias del tiempo, de la noche; las primeras en practicar la artesanía, la alfarería y el hilado. Tanto estar mano sobre mano, de puro aburrimiento por no ir a cazar, comenzarían a probar pigmentos y a decorar sus vasijas y las paredes de la cueva, de modo que habrían sido las protagonistas de las primeras tendencias artísticas de la humanidad. También, el hecho de estar por allí tumbadas y sin nada que hacer, excepto dar rienda suelta a sus procesos orgánicos de crianza, «se fijaron» y aprendieron a conocer las propiedades de las hierbas, con lo que fueron las primeras farmacéuticas y médicas de la humanidad, seguramente, al sentirse en la estresante situación de tener que curar las heridas de sus ingobernables cachorritas. Recordemos que estaban «solas». Mientras el cerebro de los cazadores se iba haciendo más y más grande, el de ellas iría dibujando más y más circunvalaciones.

La gran Alexandra Kollontai, a quien casi nadie conoce, escribió: «El saber de las antepasadas de nuestras madres les era ajeno a sus compañeros que salían a menudo de caza o a la guerra o se consagraban a otras actividades que exigían fuerzas musculares particulares. No tenían tiempo, simplemente, para dedicarse a la reflexión o a la observación atenta».

¿Te das cuenta del poder de los relatos? ¿Verdad que es como un milagro? De repente, lo del varón proveedor se revela como lo que es: un mito. A este relato vamos a ponerle un nombre. Se me ocurre «el mito de la mujer agricultora». Es aún más coherente que el anterior, ¿verdad? Preguntémonos: ¿qué tira con más fuerza de nuestras facultades, salvar a un hijo en peligro, alimentarlo para que deje de llorar... o ir jornada tras jornada detrás de un mamut?

Si vamos un poco más allá, también podemos conjeturar que la posición erecta no la desarrolló, como se nos ha hecho creer, un varón al portar sus armas, sus piedras y sus lanzas, sino las mujeres al comenzar a utilizar las manos para controlar a los hijos. Con las manos siempre ocupadas, con un bebé en brazos y otro de la mano, acabaría siendo inevitable que comenzaran a andar con solo dos patas.

¿Y el lenguaje? Lo más razonable es pensar que las madres, al tratar de transmitir órdenes y conocimientos a los hijos, fueran desarrollando el lenguaje. «¡Cuidado, no te acerques al fuego!» «¡Caca!, tira eso.» «¡Come más verde!» Siempre nos han dicho que el lenguaje lo inventaron los cazadores para desarrollar una estrategia conjunta y tender una trampa al dichoso mamut. Y siempre han dibujado a hombres primitivos pintando las cuevas de Altamira o frotando palos para inventar el fuego.

Relato por relato, los dos son igual de válidos o no válidos. Me parece un poco más razonable el segundo, porque sabemos que las partidas de caza podían estar semanas fuera y, en muchos casos, volver sin nada de comida o no volver. Puedes sacar tus propias conclusiones.

Ahora me desvío un poco del tema. ¿Recuerdas que vimos juntas *Ice Age: La Edad de Hielo*? En su momento, como eras pequeña, no lo comentamos. ¿Te diste cuenta de que, una vez más, moría la madre y todos los protagonistas eran animales... machos? El mamut, un señor; el tigre dientes de sable, otro señor; el perezoso, otro casto varón. Pero ¿esto qué es? La bebé humana que deben salvar es una niña... aunque, espera, ¿cómo lo sabes, si no habla nunca y va enrollada en unas telas?

Es triste y tedioso estar siempre con la misma copla, pero peor es no saber de dónde venimos y dónde estamos *pinadas*. Hay que aprender a desvelar el androcentrismo, la constante identificación del varón con el ser humano neutral. Y de la mujer con la mujer, nunca con el ser humano. La verdad, Celia, esto no quita para que, mientras disfrutaba viendo contigo cientos de capítulos de *Bob esponja*, fuera dándome cuenta de que las esponjas, las estrellas de mar, los cangrejos o los calamares... eran siempre chicos. Ponte en nuestro lugar, Marcos, ¿te imaginas el hartazgo que podrías llegar a sentir si en casi todos los dibujos que ves, incluso las esponjas fueran, en realidad, niñas? Por eso tu madre suele escribir eso de «en ocasiones veo mujeres».

Esto es lo que Darwin y la mayoría de la ciencia nos legó como herencia: los hombres no solo hacen mejor las cosas que las mujeres nunca han hecho, como cazar mamuts o ir al espacio, sino que cuando los hombres hacen algo típico de mujeres lo hacen también mucho mejor: por ejemplo, ser los grandes chefs, costureros y peluqueros. Seguramente, incluso saben maquillarse mejor. Si se hicieran dos listas, las mujeres quedarían muy muy abajo. La lista sigue siendo apabullante y, a juicio de los hombres de ciencia, nada tiene que ver con que los hombres hayan dominado a las mujeres y les hayan prohibido rigurosamente hacer otra cosa que no fuera cuidarlos a ellos y su descendencia.

Una vez más, diremos, sin resentimiento pero cargadas de razones y con Adrienne Rich, que «objetividad» es el nombre que se da a la «subjetividad masculina». Y esto hay que cambiarlo ya mismo.

¡A ver si Freud nos considera otra cosa que juguetes!

El psicoanálisis llegó a nuestras vidas a principios del siglo XX para convertirse en una parte de nuestras creencias básicas sobre nosotros mismos. Cada vez que alguien tiende a pensar que tenemos motivaciones que desconocemos, que nuestros miedos e inseguridades nos manejan más de lo que pensamos y que buena parte de nuestro comportamiento es difícilmente explicable desde la razón o responde a motivaciones inconscientes, estamos usando parte del arsenal conceptual freudiano.

La mala suerte es que el psicoanálisis también se convirtiera en una legitimación laica y «científica» de la inferioridad y subordinación de las mujeres a los varones. ¿Qué se puede hacer con una visión de los sexos en la cual la característica fundamental del «ser humano» es el pene? En esta visión, la mitad de la especie humana tiene una minusvalía especialmente grave, ya que su destino está marcado por la envidia del pene. Esto condena a esa otra mitad a vagar por la vida tratando de hacerse con uno, o bien mediante el matrimonio o bien a través del engendramiento de un hijo varón, momento crucial en que comprende y asume el verdadero sentido de su existencia. Lo peor de esta breve descripción es que no es una caricatura.

La vida psíquica de las niñas está determinada por cierto descubrimiento repleto de consecuencias que todas estamos destinadas a asumir tarde o temprano. Un día cualquiera, le sucede esto a una niña: «Advierte el pene de un hermano o un compañero de juegos, llamativamente visible y de grandes proporciones, lo reconoce al punto como símil superior de su propio órgano pequeño e inconspicuo, y desde ese momento cae víctima de la envidia fálica». (Nota: «inconspicuo» significa «insignificante».) Todo esto se encuentra en un ensayo de madurez de Sigmund Freud titulado «Algunas consecuencias psíquicas de la diferencia sexual anatómica».

Para el genial vienés, las mujeres harán bien en aceptar su inferioridad y encontrar la realización en el matrimonio y el engendramiento de varones. Por el contrario, si no superan la envidia del pene y persisten en querer uno propio —«la esperanza de que, a pesar de todo, obtendrá alguna vez un pene y será entonces igual al hombre»— terminarán mostrando conductas extrañas e inexplicables. Conductas extrañas como la histeria y el lesbianismo.

Simone de Beauvoir inició en *El segundo sexo* la crítica a las posiciones de Freud, y el feminismo radical continuaría con la tarea. Algunas teóricas como Kate Millett se referirán a Freud como «la mayor fuerza contrarrevolucionaria de la ideología que sustenta la política sexual». Sin embargo, otras feministas han relativizado el peso patriarcal de las teorías freudianas al mantener que sus posturas sobre la sexualidad y la psicología femeninas son más descriptivas que normativas. Según esta otra línea de interpretación, liderada por Juliet Mitchell, la gran aportación de Freud al feminismo sería haber descubierto la sexualidad como fuerza vital básica, el deseo como potencial subversivo frente al principio de realidad, principio que se convierte en sinónimo de «principio capitalista de rendimiento». Pero tal vez hoy asistimos con asombro a cómo el capitalismo ha convertido el sexo en «rendimiento» mientras la pornografía y la prostitución exprimen como a limones a las mujeres jóvenes en una industria que no necesita apenas inversión: si algo sobra en este mundo son jóvenes pobres para alimentar el negocio del sexo. Volveremos a tratar esto más adelante.

Describir a Freud como la mayor fuerza contrarrevolucionaria frente al feminismo en el siglo xx es lógico, porque su influencia sobre muchos artistas, directores de cine, novelistas o psicoanalistas ha sido inmensa. Pero tenía muchos competidores para aspirar a ese puesto, como Claude Lévi-Strauss, uno de los antropólogos más importantes del siglo pasado.

«Las mujeres son el regalo más valioso», o de cómo la civilización comienza con el intercambio de mujeres

A veces nos preguntan, querida Celia, qué queremos decir exactamente cuando sostenemos que a las mujeres se las ha cosificado. Ya podemos darles algunas respuestas: la mujer es una vasija o un horno según Aristóteles, la mujer es «el juguete más peligroso» según Nietzsche. A eso le llamamos «cosificar», definir a un ser humano como una cosa u objeto para el disfrute. Por más que he leído, nunca he encontrado a un filósofo que escribiera algo parecido a «el hombre es el madelman más peligroso». A ellos no se les ocurre autocosificarse ni para hacer una gracia, pero les encanta decir que, como ahora nosotras somos libres, tenemos derecho a «autocosificarnos». Luego observas con atención y te das cuenta de que el filósofo que dice eso está casado con una modelo o una exalumna cien años menor que él, pero claro, nada tiene que ver... ¡Ana, que lo mezclas todo!

Vamos a interesarnos por la influyente teoría de un antropólogo que consideró a las mujeres como «el mejor regalo», lo cual incluye vasijas y juguetes. Para Lévi-Strauss el intercambio de mujeres como regalos es la puerta de entrada a la civilización. Ni más ni menos. Las mujeres son objetos de intercambio u «objetos transaccionales» en los pactos entre varones.

Para este influyente antropólogo el intercambio de mujeres entre distintas poblaciones supone el paso de la naturaleza a la sociedad, porque va a poner fin al incesto, al natural, «natural», derecho sexual de los padres sobre las hijas.

El tabú del incesto es crucial en este paso a la cultura porque impone un límite a los padres, es decir, no acostarse con las hijas, pero crea de forma «social» o artificial una situación mejor, a saber, la posibilidad de que todos los hombres puedan acceder a todas las demás mujeres de las que no son parientes.

Para el insigne antropólogo las mujeres constituyen un valor esencial para el grupo. De ahí que el cómo se regulen los matrimonios, las relaciones sexuales, sea un asunto social, no individual. Porque los hijos son un bien muy valioso.

Los sistemas de parentesco cumplen la función de regular el intercambio de mujeres y mantener la continuidad del grupo. El intercambio de mujeres entre grupos familiares se puede realizar de distintas formas y esto lo estudia la antropología. Dos hombres pueden intercambiarse las hermanas, o sea, un hombre puede casar a su hermana con otro, a cambio de recibir una de las hijas de ese matrimonio para casar a su hijo. Puede haber una cadena de intercambios sucesivos de hermanas. En este sentido, por ejemplo, la poligamia no contradice la exigencia de reparto equitativo de mujeres, sino que constituye la superposición de una regla de reparto social —para un hombre, varias mujeres— sobre la otra, la más importante, *la de la prohibición del incesto.*

La prohibición del incesto es crucial en el origen de la sociedad, no tanto por razones morales sino por cómo favorece la exogamia, el intercambio entre tribus distintas. Todo esto es muy interesante, pero, en el nombre de la madre, ¿por qué no problematizar el hecho de que el objeto de transacción, de intercambio, sean «mujeres» sin voz ni voto? Este antropólogo no escribía en el siglo XVIII sino en pleno siglo XX, e incluso en el XVIII hemos visto que se publicaron obras feministas, que hubo un levantamiento de las mujeres contra su destino patriarcal...

Se ve que el hombre no había leído a Olympe de Gouges ni a Mary Wollstonecraft, y, aun así, no le temblaba el pulso intelectual. Mira, Celia, qué científico suena lo que escribe Lévi-Strauss: «A partir del momento en que me prohíbo el uso de una mujer, que así queda disponible para otro hombre, hay, en alguna parte, un hombre que renuncia a una mujer que por este hecho se hace disponible para mí». Quizá alguien piense que me lo estoy inventando, pero cualquiera puede leerlo en su libro *Las estructuras elementales del parentesco*.

La antropología da por hecho que es el hombre «el que se prohíbe» el uso de una mujer. Las mujeres no son sujeto de ninguna decisión. El núcleo duro de este pensamiento reside en que al señor antropólogo Lévi-Strauss ni se le pasa por la cabeza que las mujeres pudieran levantar la mano para decir algo respecto a su «uso» por parte de los varones de la tribu. Eso sí, las mujeres son «el bien más preciado». Son el mejor regalo porque los regalos son muy bonitos y unen mucho a la gente («gente», aquí, es igual a «hombres»).

Conviene ahora descender un poco desde la alta teoría y palpar la realidad. Observemos cómo esta teoría, que sigue gozando de prestigio intelectual, era una pieza clave para apuntalar la desigualdad. Su señor autor lo tenía claro. Lévi-Strauss no consideraba el estatus de «objeto de intercambio» de las mujeres como algo injusto, propio de un pasado lejano y remoto, sino que actuó en consecuencia en su vida, como respetado y famoso ciudadano de la República francesa. Hay una anécdota reveladora que ilumina la decidida voluntad de tantos intelectuales y científicos para que este estado de cosas, que tantos privilegios les ha aportado, no cambiara un ápice.

Lévi-Strauss era miembro de la Academia Francesa cuando en 1981 se promovió la candidatura de una mujer, la escritora Marguerite Yourcenar. Yo iba a cumplir veinte años y fue la primera mujer que entró en la Academia, pero lo hizo con la enardecida oposición de Lévi-Strauss, que para dar un tinte antropológico y no personal a la cosa esgrimió una contundente razón: «No se cambian las reglas de la tribu». En palabras de uno de sus biógrafos, «el conservadurismo de su posición está de acuerdo con sus convicciones en materia de ecología y patrimonio». Aunque el señor biógrafo no nos aclara si considera a las mujeres del reino de la naturaleza (ecología) o de los objetos (patrimonio), parece que es lo primero: «Una institución como la Academia Francesa debe ser preservada en igual medida y por las mismas razones que una especie rara. Sus responsables no tienen derecho a tocarla. La menor modificación la pone en peligro». Bien puede pensarse que lo que se ponía en peligro no era la *Academia Francesa* sino *los privilegios masculinos de copar la Academia* y casi todo lo importante, privilegios de los que tanto disfrutó en vida el señor Lévi-Strauss: el número de los cargos y honores que aceptó por todo el mundo dan para más de un folio. La frase bien podría haber sido: «No se cambian las reglas de la tribu». Firmado: «Uno de los bien pagados asesores de la tribu (y, además, pero qué buenas están las jóvenes estudiantes)».

Con este nuevo marco de referencia en la cabezota, volvemos a leer uno de los textos emblemáticos de *Las estructuras elementales del parentesco*. De lo que escribe Lévi-Strauss, pondremos en negrita algunas de sus frases, dado que tengo por costumbre a veces subrayar.

[El papel del intercambio] en la sociedad primitiva es esencial, **puesto que abarca al mismo tiempo ciertos objetos materiales, valores sociales y también a las mujeres;** pero mientras que en relación a las mercaderías fue perdiendo importancia en provecho de otros modos de adquisición, por lo contrario, **en lo que respecta a las mujeres, conservó su función fundamental: por una parte, porque estas constituyen el bien por excelencia [....];** pero **sobre todo porque las mujeres no son, en primer lugar, un signo de valor social sino un estimulante natural y el estímulo del único instinto cuya satisfacción puede diferirse:** el único, en consecuencia, por el cual, en el acto de intercambio y por la percepción de la reciprocidad, puede operarse la transformación del estímulo en signo y, al definir por este paso fundamental el pasaje de la naturaleza a la cultura, florecer como institución.

Esta teoría de las mujeres como estimulante natural del sujeto por excelencia, «el hombre», nos sirve para comprender de manera aún más radical que este sujeto varonil o patriarcal ha construido una ontología a su medida y, en consecuencia, también ha construido la ciencia y «el mercado» a su medida. Es decir, lo que se denomina «conocimiento objetivo» y «mercado objetivo» han tenido y tienen sexo-género.

La creencia de que las mujeres forman parte de *los bienes de los que un colectivo puede y debe disponer* está tan arraigada que las ciencias sociales no solo han evitado cuestionarla sino que la han asumido con una naturalidad indigna de «hombres» de ciencia, que se toman tan en serio a sí mismos y sus investigaciones y lo que están es alimentados por los prejuicios patriarcales. Pero, sobre todo y para colmo, están convencidos de que «merecen» sus privilegios al igual que otras merecen ser regalos, premios a su éxito y billetes de intercambio.

Por último, Celia, ¿crees que mejora realmente nuestro estatuto ontológico con el desarrollo de las ciencias sociales en el siglo xx? Francamente, no sé si no habrá sido peor cierta antropología que la mitología griega. Pues en la mitología, al menos, algunas diosas había, pero aquí hemos descendido todas juntas a la condición de «regalos».

Del destino trágico de los hombres: tienen que dotar de sentido a su vida (las mujeres no, ya lo traemos de serie)

Comprender bien la ontología patriarcal es básico y en ello estamos, en comprender que nuestra cultura ha edificado dos sentidos de la vida opuestos, una doble verdad, y que ha llegado un momento en que esta es una de las contradicciones que nos está llevando al fracaso de la humanidad.

Georg Simmel es un intelectual que reafirmará de forma explícita la diferencia ontológica entre hombres y mujeres. Autor de reconocida agudeza, dio el paso de vincular de una manera nueva y atractiva la relación causal entre ontología y sentido de la vida. Atiende bien, querida Celia, porque su teoría de la polaridad sexual es capaz de confundir a cualquiera. Simmel comienza por ganarse tus simpatías porque reconoce sin rodeos la desigualdad sexual, «la prepotencia masculina» y su irritante posición de superioridad, y comprende bien la legítima indignación y protesta de las mujeres.

Simmel parte de lo que considera un hecho objetivo: los varones han sido, es verdad, los protagonistas de la cultura y el conocimiento; el derecho, el arte, las cañerías son todos productos u «objetivaciones» del espíritu o la esencia masculina. ¿Quiénes han sido los científicos, los inventores, los artistas? Todos hombres. Por algo será, sigamos. El problema real de las mujeres —según Simmel— no reside en que los varones tiendan a la creación exterior, a objetivarse en obras concretas, sino en la prepotencia con que han identificado sus creaciones con lo humano, con lo universal.

Esta es una operación ilógica e ilegítima. Dicha identificación es la causa de la desvalorización de lo femenino, pues lo que hacen las mujeres, lo femenino, se juzga de acuerdo a criterios que parecen universales pero que son, en rigor, masculinos. Las mujeres son evaluadas como inferiores porque no hacen lo mismo que los hombres. Pero, vamos a ver, ¿dónde está escrito que lo que ellos hacen sea lo único propio de seres humanos? Quizá ni siquiera es lo más importante.

La propuesta de Simmel para acabar con la injusticia que sufren las mujeres consta de tres pasos: descubrir la esencia de lo femenino, valorarlo como merece e incorporarlo a la definición de lo humano. Lo masculino y lo femenino son esencias diferentes, con diferentes formas de realización, pero igualmente válidas, humanas. Lo humano no consiste solo ni se agota en hacer filosofía, ciencia, ingeniería y artes. Esto es solo la esencia de lo masculino.

La esencia de los masculino tiene para Simmel un componente trágico. Su afán de trascendencia condena a los hombres a salir fuera de sí mismos. El varón debe demostrarse su ser continuamente, la fuerza de su ser le arrastra a conocer el mundo y mostrarse a sí mismo al mundo, con hechos y obras. Por el contrario, la mujer no es un ser condenado al dualismo y al desgarramiento: la mujer «descansa en su feminidad como en una sustancia absoluta». La mujer vive en la identidad más profunda de su ser.

La mujer es centrípeta, indiferenciada, una totalidad, un absoluto. Esta suerte de plenitud ontológica tiene, entre otras afortunadas consecuencias, que las mujeres no necesitan mediación alguna en su relación con lo exterior: su instinto les basta. Por poner un ejemplo, no necesitan viajes de ida y vuelta para conocer las cosas: «la mujer en el conocimiento, no necesita ni puede necesitar lo que podríamos llamar el rodeo de la demostración». Esto, traducido, quiere decir que tú no necesitas el rodeo de abrir un libro y estudiar. ¡Vaya, no suena mal! Y otro ejemplo: «las mujeres no necesitan vivir la agonía, la lucha del juicio moral: siempre desean lo que deben». Esto ya lo había escrito Hegel, pero ahora todo se comprende mejor. Lo que otros filósofos han considerado como prueba de la inferioridad femenina, la falta de lógica intelectual y de juicio moral objetivo, no puede interpretarse como signo de inferioridad. La mujer sabe sin tener que aprender y siempre desea hacer lo que debe. ¿Para qué iba entonces a perder el tiempo estudiando o leyendo tratados morales?

El argumento de Simmel no deja de ser seductor. De

hecho, se le consideró un feminista. Las mujeres no son inferiores, son diferentes. Mientras la mujer «es», el hombre está condenado a «hacer». Entonces, ¿por qué quieren las feministas involucrar a las mujeres en el trágico destino de los varones?

El propio sociólogo aporta razones interesantes. Reconoce que si el destino del varón es trágico el de la mujer no deja de ser triste. Su triste destino consiste en convertirse siempre en un medio para los fines masculinos. Y es que, cuando un ser reposa en sí mismo y su sentido está en su propio recogimiento, es lógico que cuando entra en contacto con seres activos, agresivos incluso, con gran tendencia a salir de sí y objetivarse, acabe jugando un papel receptivo y pasivo. Simmel generaliza este tipo de relación activo/recogido más allá de los sexos. Es una ley general del comportamiento humano que las personas que viven recogidas y satisfechas en sí mismas terminan siendo víctimas de las naturalezas volcadas en la exterioridad. Por eso, también unos hombres someten a otros. Y no lo hacen precisamente los más valiosos ni inteligentes sino los más volcados en lo exterior. Es decir, los que tienen dentro un motor insaciable que no les deja un momento de paz. Tienen que estar haciendo y mostrándose continuamente. En conclusión, el destino sufriente y paciente de las mujeres, ser dominadas y aguantar a seres más vacíos e inquietos que ellas, no tiene su causa ni en lo biológico, como defienden los machistas, ni en lo histórico, como están planteando las feministas, sino en lo ontológico, en el ser centrípeto de lo femenino frente al ser centrífugo de lo masculino.

Simmel deja abierta una puerta al cambio en las relaciones entre los sexos: revalorizar lo femenino e incluirlo en la definición de lo humano. Tras una larga reflexión sobre cómo podría objetivarse la esencia femenina, cómo sería posible una cultura femenina, es decir, «algo que no puedan hacer los varones», descubre la creación cultural del hogar. Ahí sí que ha creado la mujer un mundo propio, aquello que no pueden hacer los varones: «Así pues, el hogar es, absolutamente, la gran realización cultural de las mujeres, puesto que la estructura aludida, única, del hogar como una categoría vital posibilita que seres que en general se hallan muy lejos de la objetivación de su vida puedan, sin embargo, consumarla en él en una medida máximamente amplia».

Así son de importantes las teorías de los intelectuales.

Las mujeres estaban manifestándose en las calles y luchando por romper los barrotes de los hogares donde estaban enjauladas y Simmel les ofrece una revolución en el nivel simbólico que consiste en revalorizar los hogares como el lugar de su realización. Y olvidar la absurda pretensión feminista de «ser y tener lo mismo que los varones». ¿Con tan poco os conformáis, oh, mujeres?

Al igual que otros detractores de la igualdad, no ahorra elogios a la «esencia» femenina. Incluso llega a afirmar que la mujer es el «auténtico ser humano». No te extrañe, en general cuanto más insiste alguien en que las mujeres son mejores o superiores a los hombres, menos dispuesto está a cederles el espacio y el puesto que merecen. Lo suele decir desde una tribuna, dirigiéndose a mujeres. Mientras las feministas reniegan de la existencia de una «esfera propia» y proclaman su derecho a entrar en la esfera pública, Simmel argumenta que la mujer «gravita en su propio centro», es decir, en su propia cocina.

No hay que fiarse de los atajos de revalorización. Menos de una revalorización que deja lo femenino y lo masculino como esencias opuestas y complementarias. Por supuesto que los hogares son maravillosos, pero si son buenos para las mujeres tendrán que serlo para los hombres también. Y eso exige reformas estructurales en nuestro mundo. Y las mujeres volverán a casa por la tarde y encontrarán la lumbre del hogar encendida.

Nuestro filósofo más famoso e influyente: Ortega y Gasset

La teoría de la polaridad sexual tuvo una excelente acogida por parte de nuestro filósofo más famoso e influyente.

Ortega y Gasset, un hombre de su tiempo, conoce la obra *El segundo sexo*, de Simone de Beauvoir.

Ortega, cuyo espíritu se objetivó en cientos de artículos y libros, mantuvo con pasión que no hay que dejarse impresionar por los conocimientos históricos, antropológicos y sociológicos de los que hace gala la filósofa francesa. Estas son sus elocuentes palabras: «Volvamos, pues, sin sentir por ello un rubor que sería esnobismo, a hablar con toda tranquilidad de la mujer como sexo débil. En este carácter patente de debilidad se funda su inferior rango vital. Pero, como no podía ser menos, esta inferioridad es fuente y origen del valor peculiar que la mujer posee referida al hombre. Porque, gracias a ella, la mujer nos hace felices y es feliz ella misma; es feliz sintiéndose débil». Y concluye: «En efecto, solo un ser inferior al varón puede afirmar radicalmente el ser básico de este, no sus talentos, ni sus triunfos, ni sus logros, sino la condición elemental de su persona».

Ortega es un gran filósofo, está describiendo con precisión lo que es el privilegio ontológico: el ser básico del varón radica en que la mujer lo reconozca al mismo tiempo como el ser humano neutral y como un ser superior. Fue tan intuitivo que se dio cuenta de que eso era justamente lo que buscaba cambiar *El segundo sexo*. Derechos civiles y políticos para las mujeres, por supuesto; educación y autonomía, por supuesto; pero por debajo de todo ello, de Beauvoir cuestiona y denuncia la desigualdad ontológica. El radical «ser para ellos mismos» de los hombres y el radical «ser para los demás» de las mujeres. La jovialidad masculina del hacer frente a la tediosa rutina de las cargas que pesan sobre la cuidadora del Ser.

Tenemos un mensaje para Ortega y Gasset: estabas en el error. La «mujer» no es feliz sintiéndose débil ni entregándose. Tendrías que ver cómo corren y nadan las chicas de ahora. Están entrenando, quieren estar fuertes, será que tienen algún plan. El mundo ya tiene una mujer nueva pero ahora necesita un hombre nuevo.

5

El feminismo lo mueve todo: la incorporación de las mujeres a la autoconciencia de la especie

El feminismo ha transformado nuestras sociedades para bien, esto es incuestionable. Pero no se están dando los cambios estructurales que serían necesarios para acabar con una sociedad hecha a imagen y semejanza de los hombres, una sociedad de varones con cuidadoras incorporadas. Esto sigue generando nuevos e injustos conflictos personales y sociales.

En lo que respecta a la filosofía, el feminismo ha supuesto la incorporación de las mujeres a la autoconciencia de la especie. Esta incorporación no implica solo que las mujeres se hagan visibles, consiste en muchas más cosas, sobre todo en devolver al hombre y a las mujeres a sus tamaños reales. ¿A qué me refiero?

La gran Virginia Woolf escribió que los hombres habían convertido a las mujeres en espejos en los que se ven reflejados al doble de su tamaño. En todos los grandes relatos anteriores, desde la mitología clásica hasta nuestro Ortega y Gasset, los hombres se han autodefinido sucesivamente como «Dios», «el guerrero», «el virtuoso», «el ser humano neutral», «el protagonista de la evolución», o «el creador y principio activo que se objetiva en sus actos». No han sido precisamente modestos. Por su parte, las mujeres, en el mejor de los casos, han sido el público de sus hazañas y correrías, el reposo del guerrero y del no guerrero. Los hombres se han subido a los hombros de las mujeres y en ellas han descargado los cuidados de sí mismos y su descendencia. De forma metafórica y no metafórica lo digo: se han subido a los hombros de las mujeres para tomar altura, para ver más lejos, para abandonar el mundo de la naturaleza y elevarse al mundo de la cultura.

El feminismo implica la ruptura de ese espejo y es como si les dijera a los hombres que no son ni tan grandes, ni tan jóvenes, ni tan creadores. Voy a matizarlo un poco: les dice que lo han sido a costa del sometimiento de demasiadas personas para lograrlo. Y que al subirse a sus hombros las han ido aplastando, y reduciendo su tamaño.

El feminismo implica que nosotras, las mujeres, también vamos recuperando un tamaño.

Es un cambio tan radical que encuentra muchas resistencias. Quizá no de mala fe, pero resistencias al fin y al cabo. Es difícil cambiar la autoconciencia de la especie, muy difícil. Si lo es para nosotras, que con ello recuperamos nuestro tamaño de seres humanos, imagínate lo que significa para ellos, que tienen que bajarse al suelo y tocar tierra. Ellos, que estaban soñando con fundar colonias en Venus y les ha llegado una pandemia. Veamos un ejemplo sobre cómo, aun de forma no consciente, se organiza esta resistencia.

Si quieres hacer un grado tienes que pasar una prueba en que des cuenta de tu competencia científica y tu dominio de nuestra cultura occidental. Una de las pruebas consiste en comprender lo que escribieron sobre el mundo y el sentido de la vida los filósofos, los hijos de Zeus, los que están condenados a trascenderse, a salir de sí mismos y objetivarse y crear cosas, libros de filosofía. En general, y salvo excepciones, te vas a examinar de diez filósofos como diez soles. Está relacionado con que pases las pruebas de acceso a la universidad, con seguir tu vocación, algo importante para tu proyecto, para dar sentido a tu vida.

¿Comprendes? ¡La propia sociedad te exige que te pongas en su lugar! Un lugar pensado para quienes se subieron a los hombros de las mujeres.

Muchos profesores de filosofía, los gestores del ministerio, no acaban de procesar la necesidad de un cambio. Piensan que ahora ya hay igualdad en la educación formal. Lo examinan una y otra vez y llegan siempre al mismo resultado: pero si todos vais a aprender lo mismo, si todas vais a examinaros de los mismos filósofos. Eso es lo que se denomina «currículum oficial». Pero en ese «todos aprendéis lo mismo», «todos os examináis de lo mismo», va implícito un «currículum oculto». Lo que vas a aprender es el viejo truco del androcentrismo, que el ser humano neutral es un varón pensante y que el hecho de que las mujeres no hayan podido pensar en condiciones no afecta ni al conocimiento, ni a la autoconciencia, ni al planeta. No ven ningún problema. ¿Qué sucede en clase cuando alguna de vosotras levanta la mano y pregunta si es que las señoras no pensaban, o si es que pensaban tonterías y por eso no han merecido la pena pasar a la historia? Ahora sí lo preguntáis. Antes, no. Cuando estudié filosofía en Salamanca, solo tuve profesores varones, hasta que en quinto, a mediados de curso, llegó de suplente una profesora. ¿Te puedes creer que no nos dimos cuenta de aquel pequeño detalle? Estábamos poseídas por el androcentrismo. Ni Marga, ni Manolo, ni Almudena, ninguna nos dábamos cuenta de tamaña ausencia, y, la verdad, no fue porque no tuviéramos cabeza.

Hoy en día, en las universidades dan clase muchas

profesoras de filosofía, ya tenemos presencia, pero esto no resuelve todos los problemas.

Cuando preguntas en clase por el tema de la legitimación de la desigualdad, lo habitual sigue siendo la famosa respuesta: «Bueno, mujer, en aquellos tiempos era normal que pensaran así». Nos repiten que no podemos caer en la descontextualización y en el anacronismo. De acuerdo, hay que contextualizar, pero el cómo lo hagamos puede arrojar unos resultados muy diferentes. Cada día son más las profesoras que encuentran maneras nuevas de hacerlo, pero casi todo depende de su individualidad y su voluntarismo.

Una vez más, preguntamos: ¿Qué diablos es lo que tenemos que asumir como normal en aquellos tiempos? ¿Que los varones se quedaran con lo que definían como «valioso» e «importante» y de una patada excluyeran a las mujeres de todo ello? Con lo que hoy sabemos, no podemos aceptar como normal y lógico que los filósofos, personas *especializadas en pensar*, no quisieran pensar esto ni por asomo. Esto, me temo, no es educar a nuestros estudiantes sino cerrar la boca con un «ya salió la feminista». Una posición crítica sobre la historia de la filosofía explicaría a las jóvenes muchas de las dificultades que encuentran en el presente para vivir su vida. Y a los chicos también, por supuesto, ellos están incluidos en todo lo que escribo.

Eso explicaría todas las dificultades que arrastramos relacionadas con la doble verdad que ha permeado nuestra cultura: lo que es bueno para un chico no lo es para una chica, y viceversa; o lo que es bueno para un chico, lo encaja una chica o chica se queda (me refiero al tamaño, es un juego de palabras).

El ser humano no es sociable por naturaleza, es «cuidable» por naturaleza

Los filósofos siempre han tendido a escribir libros largos y a dar definiciones breves e ingeniosas del ser humano. Platón definía al hombre, haciendo una gracia, como un bípedo implume. Para Aristóteles, el hombre es un animal político; para otro, un animal que habla. Un ser que ríe, un ser que juzga, que trabaja, que crea. Han dicho de todo, en tantos miles de años, pero nunca han dicho, fíjate, *es un ser que cuida*. Lee a Carol Gilligan.

Los filósofos han escrito, y mucho, que somos «sociables por naturaleza», pero lo que han evitado decir es que somos «cuidables» por naturaleza. A saber, que o nos cuidan durante varios años y con cierta dedicación o palmamos. El primer mandato que tenemos es el de «perseverar en el Ser». Esto lo dice Aristóteles, «lo que "es" tiende a seguir siendo». Sí hijo, sí, pero te vamos a dar un dato que se te escapó: los bebés, para seguir siendo, berrean como posesos y si alguien no está ahí, para poner las condiciones con el fin de que perseveren en el ser, pues sencillamente dejan de ser.

Aristóteles y los que siguieron su tradición de ordenar y clasificar el mundo no quieren pensar esto. No, porque si lo pensaran podrían llegar a preguntarse cómo y a costa de quiénes han logrado el «chollo ontológico» de ser cuidados y no cuidar. Para entregarse sin límites a «lo propio de seres humanos», todo lo demás. Aristóteles se imagina al ser humano y se le aparece un joven varón que va camino del ágora a desarrollar su ser sociable por naturaleza. ¡Claro! Slavoj Zizek, un filósofo actual, se imagina al ser humano y dice algo parecido, pero se imagina a «la mujer» y se le aparece una joven guapa y luego medita: el sexo es lo absoluto. Hablaremos de esto más adelante.

A las mujeres tenían que prohibirles ir al ágora. Esto no fue una casualidad, fue una causalidad. Las mujeres tenían que estar encerradas en el gineceo y reducidas y jibarizadas sus cabezas y sus cuerpos para que ellos pudieran ser los seres humanos que llegaron a ser. Para no distraerse con tonterías y llegar a ser Pitágoras, Sófocles y Pericles. O Arquímedes. Hay tantos hombres sabios, les debemos tanto... Que para eso nos hayan anulado como personas... Bueno, mujer, pero de no actuar así, ¿habríamos salido de las cavernas? Si no fuera por cómo les dio por cazar mamuts y protagonizar la evolución, ¿no estaríamos nosotras todavía holgazaneando por las cuevas, muertas al décimo o undécimo parto?

Reflexionemos. ¿Qué hubiera sucedido realmente si los hombres no hubieran anulado a las mujeres como personas, como voces presentes en el ágora, decidiendo juntos el rumbo de la comunidad, de la humanidad? Para poder pensar esto no basta con que las mujeres nos sumemos al ágora, es imposible porque la existencia de ese espacio público depende material, afectiva y emocionalmente de las redes que las mujeres han creado en el espacio privado. Para poder pensar juntos todo, empieza por que los hombres, por primera vez en la vida y en la historia, se pongan en nuestro lugar.

¡Ponte en el lugar de las mujeres!

Nosotras, querida Celia, llevamos miles de años poniéndonos en el lugar de los hombres.

Te has puesto en el lugar de Ulises, de Platón, de Hume, de Nietzsche, de Freud. Y, lo que es más grave, en el lugar de los directores de cine españoles. Una cosa que siempre denuncia la crítica de cine Pilar Aguilar y la novelista Chimamanda Ngozi Adichie, la autora de *Todos deberíamos ser feministas*, es que las historias de mujeres no son universales. Quieren expresar con ello varias cosas distintas; entre ellas, que los hombres no las leen, no les interesan, porque las consideran historias de chicas y para chicas. Ni son historias de individualidades ni tienen para ellos alcance universal.

¿Acaso no has oído nunca eso de «es una película de chicas»? ¿Quéee? Pues si *Mujercitas* es una historia de chicas, también vamos a empezar a decir que mi manual de filosofía «es una filosofía de chicos». «Disculpe, profesora, pero es que nos ha recomendado una filosofía de chicos. No, si yo lo digo por si ha habido algún error y luego se lía», me dirían.

A las mujeres, Celia, se nos ha negado el principio de individualidad y se nos ha convertido en «las idénticas», en expresión de mi admirada Celia Amorós. En las «heterodesignadas», en palabras de la gran Amelia Valcárcel. Esta rebaja ontológica y epistémica ha tenido, como bien sabes, un fin, porque en filosofía todo tiene un fin. Bueno, pues hasta aquí hemos llegado, como habéis dicho vosotras mismas.

El primer lugar en que la filosofía se tiene que poner, y más después de la pandemia, es en el de la realidad material: si estoy aquí, preguntándome por el «Ser», es porque alguien me ha cuidado. Alguien ha dedicado mucho tiempo y seguramente mucho cuidado conmigo. Sencillamente, para evitar que me cayera por una ventana, me atropellara un coche, o me llevara por delante las primeras bacterias y virus con que me topé. Ni tú ni yo hemos salido de la nada ni hemos brotado cual hongos tras unos días de lluvia. A las dos nos han cuidado, y durante muchos años. Años que se borran de nuestra mente y de nuestro corazón, tal vez necesariamente para poder irnos y ser. Pero eso es a nivel individual, no a nivel filosofal.

Cuando decimos que no somos hongos es porque no nos reproducimos por esporas. Frente a esta simpática forma de reproducirse, que equivaldría a que se te cayeran unos pelos por ahí y de cada uno saliera otra tú, traer un ser humano al mundo supone un laborioso proceso de nueve meses. Sin embargo, la mayoría de los tratados de ética sí han conceptualizado (descrito en profundidad y generalizado) al ser humano como si de una especie de champiñón se tratara. Como un ente individual que no debe nada a nadie.

La pregunta es si este error originario contamina el resto de las preguntas filosóficas. Este epígrafe es particularmente importante porque el célebre «ponte en su lugar» de la *Ética* tiene que incluir también y necesariamente el «ponte en el lugar de que no existirías si no hubiera personas que se han dedicado a cuidarte». Tal vez debería incluir además: «ponte en el lugar de las personas que te han cuidado». Tú partes de una deuda; si quieres, de una deuda de la que no has sido responsable, o una deuda en la que no se te ha consultado, pero es una deuda, al fin y al cabo.

No queremos dejar de estudiar a los filósofos, muy al contrario, las filósofas nos organizamos y luchamos contra la supresión de la ética y la filosofía de los planes de estudio. Hoy, como ayer, el pensamiento crítico es totalmente necesario. El caso es valorar si este punto de partida, la existencia de las mujeres y nuestras experiencias y perspectivas como *las otras* tienen valor filosófico y cuál es. No estoy hablando de revalorizar lo femenino, que no se sabe bien qué es, ya que ha sido fruto de una categoría hecha por una sociedad patriarcal y para sus fines, sino de la forma de pensar el Ser como consecuencia del feminismo, que sí lo está moviendo todo. Estamos hablando de un nuevo punto de partida, ahora que sabemos mejor quiénes somos y de dónde venimos. De la necesidad de un nuevo pacto social entre mujeres y hombres, el primero, y de sus consecuencias para la ética y la política. ¿Por qué la ética nos trata como seres que de partida no debemos nada a nadie y que en un acto soberano de razón o de empatía decidimos ponernos en el lugar de los demás? ¿Es esto un error de partida de la posición moral?

Los filósofos que están escribiendo sus tratados, parece que no han cuidado o no consideran que le deban nada a nadie. Vamos a pensar en la situación concreta en que se le aparece el Ser al filósofo. Él se ve sentado en una silla, tecleando, mirando por la ventana. Oyendo jugar a su pequeño. No ha hecho más que teclear durante toda la mañana. Y, claro, esto marca una diferencia. Otras no han parado de limpiar y cocinar hasta hace nada. Vamos a ver la diferencia tal y como la ha señalado Katrine Marçal con su genial e «inocente» pregunta, que también da título a su libro: *¿Quién le hacía la cena a Adam Smith?*

Adam Smith, el célebre autor de *La riqueza de las naciones*, pasa por ser el teórico del capitalismo. Es muy famosa su defensa de que persiguiendo cada uno nuestro propio y egoísta interés generamos un beneficio a la sociedad. Lo explica muy bien, se ve a sí mismo cenando un filete y se pregunta: «¿A quién le debo este rico filete, este pan, esta cerveza? No se lo debo a la benevolencia ni la bondad del carnicero, se lo debo, justo al contrario, al egoísmo e interés del carnicero por su beneficio». Este descubrimiento lo extendería con éxito al funcionamiento de la sociedad en general: en la sociedad de mercado capitalista, el bien reside en buscar cada uno su propio beneficio. Buscando nuestro beneficio acabamos contribuyendo al bien común.

Interesante, cierto. Pero aquí llega la señora Marçal a recordarnos que si Adam Smith tenía su filete en la mesa era también porque su interesada madre, durante más de treinta años, había hecho la cola de la carnicería y seguramente la de la tienda de las patatas y verduras que tanto aprecia la alta cocina escocesa. De paso, igual también había fregado, lavado y planchado. Pues menuda interesada que debía de ser la señora esa. Igual incluso le colocaba la corbata a Smith antes de salir hacia el club «solo para hombres», donde llegaba tan guapo a sus célebres conversaciones con Hume, otro filósofo. ¡Y todo porque su madre buscaba su propio beneficio!

Una última pregunta, Celia, ¿había comprendido realmente Adam Smith cómo funcionaba la sociedad de mercado o llevamos en el error y la falsedad unos cuantos siglos de nada?

Estamos hablando de los profundos cambios en la autoconciencia de la humanidad que genera dar respuesta a los interrogantes de la economía feminista, estamos hablando de que nuestra sociedad necesita un cambio epistemológico en paralelo al cambio ético y político. Ese cambio no consiste exactamente en revalorizar lo femenino, pues si alguien sostiene que cocinar es «femenino», es porque no ha visto *Master Chef*, y eso, perdóname, Celia, es imposible. Lo que procede es encontrar respuesta a interrogantes como el de Simone de Beauvoir, por qué la humanidad ha dado más valor al sexo que mata que al sexo que da la vida, más valor a la guerra que al embarazo y el parto, con el que también te juegas la vida.

¡Ponte en el lugar de las mujeres! Vamos a intentarlo.

SEGUNDA PARTE

De las condiciones de la vida buena

1

De lo apolíneo y lo dionisiaco: del equilibrio y el exceso

Para pensar nuestra vida hay que comenzar por alguna *idea adecuada* sobre cómo somos, la materia de la que estamos hechas.

Partimos de una dualidad originaria, somos seres contradictorios. Tiran de nosotras dos fuerzas distintas.

Por un lado, nos guía la búsqueda de equilibrio y de metas a medio plazo, la pasión por los esfuerzos sostenidos, por embarcarnos en algún proyecto de largo alcance. Estudiar un grado, estar en forma y comer de forma saludable, formar un grupo de amistades, tener una relación de pareja, independizarnos, encontrar un buen trabajo, fundar nuestra familia. Lograr cualquiera de estos fines exige hábitos, disciplina y, sobre todo, *deseo*, es decir, que ese deseo no se consuma en unos meses, a mitad del camino.

Tener un proyecto es necesario para vivir una vida buena, pero hay algo mucho más importante, perseverar en ello. Esta tendencia representa nuestro lado apolíneo. Apolo es un dios de la mitología griega, joven y guapo, luminoso, de ahí que represente y dé nombre a la búsqueda de armonía y equilibrio. Como persona era un bicharraco, pero se ve que eso da igual. No resta armonía al conjunto. (Nota: así nos va.)

La vena apolínea, Celia, es crucial para llegar a hacer algo, lo que sea. Hasta para viajar a un lugar remoto, salvaje y solitario tienes que planearlo con antelación. Debes estudiar el mapa, prever las dificultades, calcular bien el equipaje. El deseo de perderte al otro lado del mundo requiere buenas dosis de conocimiento y determinación para que se haga realidad. Una buena amiga, una loba de mar, nos lo explicaba con paciencia. Para surfear hay que conocer muy bien el mar, sus mareas y sus corrientes. Solo se logra el equilibrio encima de la tabla a base de mucha cabeza, etcétera, etcétera. Pero nosotras, crías impacientes, nos seguíamos cayendo una y otra vez, porque nos fijábamos en los pies.

Un día, así a lo tonto, nos dijo que los grandes aventureros saben coser mejor que nadie: «Yo he visto hombres haciendo cosas que vosotras, mujeres, no creeríais;

he visto señores haciendo unos remiendos a sus velas con los que alucinaríais». Sí, es cierto, a veces nuestra amiga se da un aire a aquel célebre replicante de la película *Blade Runner*, el que había visto naves en llamas más allá de Orión, y otras cosas alucinantes, y le daba mucha pena que con su muerte se perdieran aquellos recuerdos «como lágrimas en la lluvia». (Nota: tranquilo, replicante, vemos naves arder a todas horas en las continuas y repetidas películas de superhéroes de Marvel.)

Volviendo a los remendadores de velas, ¡es verdad! ¡Cómo no nos habíamos dado cuenta antes! Los hombres que se aventuran no solo saben hacer nudos y dejarse barba, saben coser, saben cocinar, saben fregar la cubierta. Sin limpieza y orden no hay aventura.

Imaginar a los aventureros de los mares del Sur remendando con paciencia sus velas ilumina una parte básica de lo real. ¡Los aventureros enhebrando la aguja, con lo que se mueve la barca! Qué épica. Como dice Amelia Valcárcel, las mujeres carecemos de la épica que a ellos les sobra. Qué distinto ha sido siempre el significado de una misma acción para chicas y chicos. Nosotras, las niñas de los setenta, teníamos clase de costura obligatoria en el colegio de monjas. Se llamaba «labor», «hogar». «¿Qué tenemos ahora? Labor.» Uf, allí nadie decía «qué bien, labor». Las niñas de mi generación dejamos de coser. Nos tuvimos que rebelar y dejar de coser porque los niños no tenían «hogar» y eso no era justo. No había igualdad. «Coser es cosa de niñas», decían, y lo decían desde la superioridad. Durante mucho tiempo a las jóvenes de clase media y alta solo les dejaban bordar. Las mujeres que «necesitaban» trabajar eran modistas.

Hoy no sabemos coser ni las chicas ni los chicos, y todos deberíamos aprender porque cuando salgamos de aventura lo vamos a necesitar. Tiene razón la escritora Chimamanda Ngozi Adichie cuando dice que todos deberíamos ser feministas, es decir, que todos deberíamos saber zurcir y coser. No solo para salir de aventura sino también para no seguir alimentando esta cultura consumista que nos hunde en la impotencia de usar y tirar, que nos quiere incapaces de remendar una vela cuando se rasga. Incapaces, por tanto, de tener objetivos a medio plazo. Nuestro lado apolíneo nos recuerda la necesidad de planificación y disciplina para culminar los proyectos. Para aprender a manejar la fuerza. Lo decía el mismísimo Nietzsche: «¿Qué es la felicidad? Sentir que la fuerza crece, que una resistencia ha sido superada». Sentencia que en nuestro tiempo de crisis ecológica y patriarcal, bien podemos reformular así: «¿Qué es la felicidad? Sentir que la fuerza crece, que sabemos coser un botón, coño, que estamos listas para la aventura».

Junto a este lado que nos lleva a mantener el equilibrio sobre las olas, está también la pulsión de salir corriendo y decir adiós a todo eso. Para empezar, al neopreno, que no hay quien se lo ponga. Comprender esta actitud exige reparar en que el ser humano no es solo descendiente de Apolo. No tiende únicamente a construir con pasión y perseverancia. Sabes que no. Tendemos también a destruir lo construido, a destruirnos a nosotras mismas y, en el peor de los casos, a llevarnos por delante la confianza y las ilusiones de otras personas. La pulsión dionisiaca representa la humana tendencia a tirar la tabla por la ventana. Se llama «dionisiaca» en honor al dios Baco o Dionisos, que se cogía unas tremendas borracheras y acababa fatal, devorado por unos perros. Aunque en realidad había un truco, Baco era un dios, revivía continuamente y otra vez vuelta a empezar. Nosotras somos mortales, recuérdalo.

El placer de lo dionisiaco es el enorme placer de perder la conciencia y olvidarte incluso de quién eres. Es relativizar tus metas en la vida. Es desprenderse de la racionalidad y lo apolíneo y revolcarse por el fango de la Tomatina, o por el suelo de la discoteca. En mayor o menor medida, todas tenemos nuestro lado dionisiaco. Es como cuando llevas toda la semana comiendo bien y vas a la cocina y dices «Se acabó, un día tiene la obrera» o «Demos rienda a Dionisos» y te pones unos huevos fritos con chorizo y pan. También hay un dios mitológico que se llama Pan, la mitología es que lo pensó todo, todo menos la emancipación de las mujeres.

Lo dionisiaco, lo apolíneo y el *carpe diem*

El lado dionisiaco y del exceso por el exceso suele relacionarse con el *carpe diem*, que significa «vive ahora», es decir, aprovecha el momento ahora que eres joven. *Carpe diem*, o «no pospongas el placer inmediato, que el mañana puede no llegar nunca». Pero creo que esto no es así, tal vez debamos deshacer una confusión importante. La película *El club de los poetas muertos*, que tuvo mucho éxito en su momento, popularizó este buen consejo latino. Va de un profesor muy majo que trata de llevar este mensaje a sus estudiantes de clase alta en un internado inglés. Les saca de los pupitres para enseñarles fotos de estudiantes del colegio que pertenecían a generaciones pasadas, fotos sepia que indican que están todos muertos, y por detrás les susurra «*Carpe diem*, vive ahoraaa, vive el momentooo». (Un inciso: sí, Celia, eran todo chicos; sí Celia, las chicas que salen son animadoras o posan desnudas en una revista que se pasan entre ellos, sí. Tienes razón en todo, pero vamos a seguir como si la película fuera de «seres humanos», es decir, como si tú estuvieras incluida, que no lo estás.) Como iba diciendo antes de que me interrumpieras para hacerme ver el problema del androcentrismo, creo que el tema de esta película enlaza el *carpe diem* con lo apolíneo y no con lo dionisiaco, porque, en realidad, lo que el profesor les recomienda a los chicos es que busquen dentro de sí cuál puede ser su vocación y la sigan. El mensaje es que tienen que luchar por conocerse y encontrar su camino. Es lo que decía Sócrates de *Gignosco sé auton*, o «conócete a ti misma». Que no todas tenéis que ser médicas o ingenieras, como le gustaría a vuestra madre. Tenéis que encontrar vuestro camino. De hecho, los jóvenes del club de los poetas muertos, como su propio nombre indica, se entregan a leer poesía y hacer teatro.

En los últimos tiempos, antes de la pandemia, ha habido una tendencia y una presión para identificar la búsqueda de equilibrio y armonía con una *rutina y una monotonía* opuestas a la idea de una vida buena, del vivir la vida con intensidad. Por eso hay que recordar que puede haber, y de hecho hay, pasión en lo apolíneo. Puede haber mucho *carpe diem* en hacer deporte por el propio placer de hacerlo. Y también por el propio placer de sentirte bien al día siguiente y durante toda la semana. Puede haber mucho *carpe diem* en disfrutar del arte, en descubrir los vinilos y la literatura, e incluso en aprender de memoria algunos poemas de Gloria Fuertes. Y de Manuel Machado, como aquel donde dice «Mi voluntad se ha muerto una noche de luna / en que era muy hermoso no pensar ni querer... / Mi ideal es tenderme sin ilusión ninguna». Contradictoria Celia, cito este verso porque nos pone frente a uno de los enigmas que tienes que resolver para vivir mejor tu vida: ¿por qué será que a menudo nos cuesta tanto ponernos a hacer algo de lo que luego disfrutamos enormemente? No creo que sea solo pereza o vagancia. Ni mucho menos, pero no es fácil explicarlo. Lo que sí veo es que cada vez os está costando más llegar a disfrutar de todo lo que conlleva un esfuerzo inicial y sostenido en el tiempo, en esta época de redes sociales, adictivas como todo lo audiovisual. Lo audiovisual no es «malo» en sí mismo, eso está muy claro, pero sí puede conducir a cierta inercia y pasividad. A ser espectadora de la vida de otras, aunque esa impresión quede atenuada por tu capacidad para dar *likes* o escribir comentarios. Entras en TikTok y pasan las horas sin querer, viendo una y otra vez variaciones de lo mismo.

La filosofía moral, desde la *Ética a Nicómaco* del bueno de Aristóteles, siempre ha reflexionado sobre la importancia de forjarse un carácter para perseguir los sueños. Carácter que se va moldeando a golpe de esfuerzo, de voluntad. Sin embargo, y si dejamos de lado el deporte, en que sí se apela directamente a la repetición y la voluntad, hace tiempo que el mensaje «hegemónico» es que no cultivéis la memoria, la voluntad de recordar. Que, total, si queréis saber algo, lo buscáis en internet y ya está. Lo que digo no es del todo real, pues en los institutos os piden cosas inconcebibles de memoria, pero esto aún redunda más en el desprecio de la memoria. Tal vez habría que aplicar aquí la *hermenéutica de la sospecha*, porque la memoria es nuestra herramienta para recordar, incluso para recordar que el tiempo pasa, que la vida transcurre y tenemos cosas pendientes, una vida que vivir. La memoria tiene algo muy particular: nadie te la puede arrebatar. Quizá habría que volver a aprender algunos poemas de memoria para recitarlos en los momentos de insomnio, «para ahuyentar la soledad», como canta Amaral. Y por si un día nos cortan internet. Esto te parecerá imposible, pero estoy viendo cosas que nunca soñé que vería: una pandemia mundial, una crisis ecológica, gente pegada a una pantalla.

Una de las tareas de la filosofía es deshacer líos y confusiones, separar y aclarar conceptos. Lo dionisiaco y el *carpe diem* no son sinónimos. Lo segundo significa «vive ahora», es decir, disfruta el día, o disfruta la noche, pero deja atrás la pereza, levántate, o, si quieres, más bien siéntate en una silla y reflexiona. ¿Es esto lo que quieres hacer con tu vida o quieres tal vez otra cosa? Lo dionisiaco nos llama al exceso, a la ruptura de límites, al desparrame total. *Carpe diem* significa «estoy haciendo algo con sentido», mientras que lo dionisiaco implica la pérdida de sentido, despertar y preguntarte: «¿Dónde estoy?». Pues sí, lo dionisiaco puede acabar en una buena resaca, sin más. Es lo más cerca que muchas hemos estado de la experiencia prometeica de un buitre royéndonos las entrañas. (Nota: resacón en Salamanca.)

Es importante deshacer la confusión, tener ideas claras y distintas. Esto es fundamental para vivir nuestra vida, que es de lo que se trata. La filosofía se inició con el afán de orientar al ser humano, ordenar la diversidad y encontrar cierta seguridad ante el cambio constante. En esta época que te ha tocado para vivir, parece que volvemos hacia atrás y se vuelven a multiplicar algunos entes de forma innecesaria, desde los plásticos hasta los contratos basura. Atareada Celia, no toda diversidad es buena de por sí; a veces, como en la proliferación de contratos precarios, lo que intenta es ocultar y dar falso brillo a la desigualdad. Quizá entonces la filosofía tenga que volver a necesitar tirar de la *navaja de Ockham*. Guillermo de Ockham fue aquel filósofo del medievo que llegó a darse cuenta de que la filosofía se estaba saturando de *flatus vocis*, de «voces vacías». Y que lejos de cumplir su fin de orientar al ser humano, lo estaba alelando con una maraña de conceptos e identidades vacíos y liantes. Como somos mujeres, gente de paz, en vez de la navaja vamos a sacar la bayeta y a limpiar, a poner un poco de claridad conceptual.

Diferenciar ideas está siempre bien porque, como dice Spinoza, «las ideas adecuadas nos confieren la potencia de obrar», y las ideas inadecuadas nos confieren la potencia de dar vueltas y vueltas, sin rumbo. Por ejemplo, lo que puede suceder si, tal y como vemos a menudo, se asocia la aventura con la falta de planificación es que al final no llegas a ningún sitio lejano. Y, sin embargo, existe el tremendo placer de decir «nosotras íbamos a la aventura, sin nada planeado, nos dejábamos llevar...». Bueno, si la aventura es poca cosa, seguramente la puedes disfrutar viviendo unos días de improvisación. Pero procura no confundirte, no confundir la realidad con las películas. Las personas que se van a la aventura planifican mucho, y las que sigues por la red, también planifican y trabajan mucho, a veces demasiado.

De cómo compaginar lo apolíneo y lo dionisiaco

A las personas, querida Celia, no creas que nos gusta demasiado elegir. Esto es así porque, cada vez que tomas un camino, estás dejando de lado el resto, y esos otros caminos también tienen su punto interesante, su atractivo. Además, no todos los caminos llevan a Roma, ya lo decía también el santo de Spinoza, «toda determinación es negación». Cuando te determinas a vivir en la ciudad, ya no vas a vivir en el campo; cuando quedas con una persona, es como si no quedaras con todo el resto de las personas «quedables». *Omnis determinatio est negatio.* Cuando digo «sí», digo también «no». Esta es la típica jerga filosófica, pero, como ves, no es tan difícil traducirla.

Por estas razones anteriores se dice que «vivir es elegir». Hay filosofías, como la existencialista, que nos explican que «estamos condenados a nuestra libertad». Nos explican —y lo comprobamos cada día— lo difícil que resulta elegir entre 250 ciclos formativos y grados. La mayor parte de las estudiantes sufre al tener que decidirse por qué estudiar. Recuerdo a la hija de una amiga que dudaba entre Fisioterapia, Ingeniería y Bellas Artes, querida y humana Marina. También conozco algunas, las menos, que desde los ocho años saben que quieren estudiar Medicina, Medicina y nada más que Medicina. O ser *influencers*. Pues mira, se han quitado de en medio la «condena» de elegir. Permíteme, paciente Celia, escribir una tontería: volvamos al santo patriarcado, donde los varones fueron buenos y nos quitaron a las mujeres la condena y la angustia de la libertad. Todas amas de casa, un problema menos, como en los viejos tiempos en que los hombres se quedaron el horizonte trágico de la libertad solo para ellos, santos varones.

Para no tener que pasar por el trauma de decidir entre un camino u otro, existe la humana tendencia a quererlo *todo*, como hacen las niñas cuando llega el catálogo de juguetes de Navidad. «¿Qué vas a querer?» «Todo», contestan. «No, guapina, eso no se puede; hale, a madurar, eliges dos cosas y punto.» Hay gente que piensa que se puede tener todo y eso, perdóname, es un signo de extrema inmadurez o de falta de claridad mental. Porque tenerlo todo es como no tener nada, míralo de esta manera: solo puedes escuchar una canción al mismo tiempo, ver una película al mismo tiempo... ¿Qué significa tenerlas todas? ¿Dónde, en tu cabeza y en tus recuerdos o en una estantería de tu casa? Espera, que estamos en tiempos de Netflix: ¿cuántas películas tienes en tu lista y cuánto tiempo pierdes en decidir cuál vas a ver? Y eso que no tienes «todas», no tienes ni una milésima parte de todas las películas. Tenerlo todo es imposible y no es propio de humanos, solo los dioses podrían tener todo, pero ya vimos cómo se aburrían y se tenían que entrometer en los asuntos de las mortales para entretenerse.

Otra tendencia muy humana es la de intentar tener cosas difícilmente compatibles entre sí. Por ejemplo, estar sentada en el sillón de tu casa y pasar miedo como si estuvieras en la calle perseguida por una horda de zombis. Es la tendencia a tener lo apolíneo y tener lo dionisiaco, a tener lo permanente sin renunciar al vértigo del momento. ¡Instante, detente, eres tan bello!

La humanidad, en su sabiduría colectiva, ha buscado con perseverancia una fórmula para articular estas dos pulsiones: lo apolíneo y lo dionisiaco, el equilibrio y el exceso. La respuesta ha sido, más o menos, brillante y para la mayoría de nosotras lleva el nombre de «fin de semana». Al igual que en su día descubrimos la rueda, hemos descubierto que el tiempo se puede dividir en dos cosas que se llaman «semana» y «fin de semana». Durante la semana nos ponemos apolíneas y cuando llega el viernes, ¡fiesta!

Por fin, podemos dejar de lado nuestra rutina (a veces también llamada «vida») y hacemos lo contrario, o nos convertimos en lo contrario. Cuando nos vamos de fiesta, damos rienda suelta a la vena dionisiaca pero, como ves, lo hacemos dentro de un orden. Nos desahogamos de lo que nos llegan a ahogar las demandas de la vida equilibrada. Y luego, vuelta al lunes otra vez.

Llegamos a la conclusión de que el ser humano es ciertamente contradictorio, pero dentro de un orden. Ama el riesgo y la improvisación, pero para un rato. Al final, el guerrero busca el reposo; esto parece que lo han sabido hacer muy bien los varones, guerreros, filósofos o comerciantes. Sigue leyendo, por favor.

Querer lo apolíneo y lo dionisiaco y las raíces del patriarcado

Quiero contarte ahora algo sobre esa doble verdad, una para las chicas y otra para los chicos, que afecta y corrompe todo lo que nos rodea. Esto puede afectar de manera injusta tu vida y la de tus amigas. La vida no se detiene a los quince ni a los veinte años, y la doble verdad va profundizándose con el tiempo. Solo por contarte esto, escribo este libro, para transmitiros nuestra experiencia. Para acabar con el pacto de silencio.

Dime, Celia, cuando leas lo que voy a contarte, si no es una auténtica pasada. Resulta que hay un grupo muy amplio de personas que rara vez puede darse a lo dionisiaco. No pueden porque lo que hacen, sus actividades diarias y cotidianas, no contempla los conceptos de «vacaciones» o «fin de semana», e incluso a veces ni siquiera distinguen entre la noche y el día. Pueden habernos pasado desapercibidas porque son, como estarás sospechando, esa mitad de la raza humana que parece haber tenido el superpoder de la invisibilidad.

Como si fuera un milagro, cada día se hacen las camas, se lavan los cacharros, se bañan los niños, se visita a los enfermos en los hospitales, aparece una cena para no sé cuántos el día de Navidad. Venga, que no falte la alegría. Hordas de cuidadoras de la especie, madres, abuelas, amigas. Y no me digas que tu madre y tu padre hacíamos las cosas a medias porque, Celia, eso ya lo sé, que soy tu progenitora. También llevas mi apellido el primero, pero quizá ya es hora de que te diga que no es ni mucho menos lo habitual. Nuestra experiencia personal es importante, pero no lo explica todo, estamos inmersas en un mundo que hay que comprender. Hay que tener los pies en el suelo, aunque sea para levantarlos y dar la patada. Tocar la tierra que nos sostiene. Y tampoco me digas, por favor, que tú conoces a una madre muy mala persona que dejó a su marido sin un duro y le quería arrebatar las hijas, porque eso ya nos lo cuentan muchos directores de cine en cuanto tienen ocasión. En clase también lo escuchamos a menudo: «Yo conozco a una señora muy mala». Sí, hija, sí, y yo. Se llamaba Eva y por su culpa nos echaron del paraíso.

Hay una serie de tareas que no se llevan bien con la manera dionisiaca de vivir. Son tareas muy absorbentes, como cuidar a un bebé recién nacido. Parece que el bebé no hace nada, lo ves en la foto y dirías que se limita a dormir. Pues te digo una cosa: no hay mayor error de juicio en toda la experiencia humana. ¡Es una total falsedad, vaya! ¿Para eso estudiamos tanta epistemología? Es justo al contrario, tienes que estar las veinticuatro horas del día pendiente del susodicho bebezote, llevarlo amarrado a la espalda. Esto no lo vas a encontrar en la obra de Heidegger, cuando habla de «pastorear al Ser». Habla de «pastorear al Ser» quien no tiene la más remota idea de lo que es pastorear un bebé. O a una madre, a un padre, a una amiga enferma.

Saber también es recordar, ya lo dijeron aquellos ociosos griegos. Recuerda y busca este axioma en tu interior. Recuerda cuando eras una niña y tenías la arraigada costumbre de comer cinco veces al día. La crianza exige sistema y entrega. Es incompatible con fumar, beber y salir por la noche. Vuelve a leerlo: los hijos necesitan rutina y seguridad. Comer y dormir a las horas. Identificar los olores, el tacto, las personas. Saber que alguien anda por ahí. Durante meses no pueden mover ni la mano. La boquita, sí, traga que te traga. Pero tardan un año y pico en saber andar. Un ñu recién nacido tarda tres minutos en empezar a andar: literal, tres minutos, no es metafórico. Lo sé por los documentales de La 2.

Tres minutos frente a un año, solamente para andar: esto no lo has leído en los empiristas ni en los idealistas, ni en Hume ni en Leibniz, y menos aún en los escritos del último filósofo famoso por su profunda y transgresora reflexión sobre el papel del sexo anal en la realización del ser humano. Pregúntales a las filósofas, pregúntale a Concha Roldán, a Rosalía Romero y a Cristina Molina.

Esta es una verdad radical y fundante de la condición humana que no encontrarás en la *Historia de las Ideas*: sin bebés no hay vida, la humanidad se hubiera extinguido. Luego, si estamos de acuerdo, el hecho de que hayan ido naciendo nuevas generaciones de pequeñines es la causa material y real de que tú y yo estemos aquí conversando. La maternidad es necesaria, no es contingente. Alguien tiene que tener hijos y ocuparse de ellos o se acaba esto, la aventura de la humanidad en el planeta.

Ahora ya nos podemos fijar de una manera distinta en el rasgo esencial de la crianza: el hecho incuestionable de que los bebés, esos imprescindibles, de un plumazo ponen punto final a lo dionisiaco. Quienes se ocupan de ellos tienden a dedicarse a tiempo completo, la vida se llena de tiempos de espera. «¿Qué haces?», les preguntan. «Nada, esperar a que sean las cinco para despertar al bebé.» Demos un paso más: los bebés no solo ponen punto final a lo dionisiaco, también hacen tambalearse los proyectos apolíneos que exigen entrega y continuidad.

Sin embargo, millones de hombres, «varones» digo, han podido tener no uno sino varios hijos sin renunciar a sus sueños apolíneos ni a sus desmadres dionisiacos. Este hecho, sin duda asombroso, remueve con fuerza nuestros interrogantes filosóficos: ¿cómo han podido hacerlo? La búsqueda de una respuesta nos lleva a descubrir cierta receta de la vida buena y realizada, tal vez feliz. Que es, como sabes, de lo que trata en buena parte la ética.

¡Canta, oh, muso, el secreto de los varones! Déjanos compartirlo, pues encierra una promesa muy dulce. Se trata de formular preguntas sencillas sobre la condición humana. ¿Cómo pudo Charles Chaplin entregarse a su carrera profesional y tener diez hijos al mismo tiempo? ¿Cómo pudo Picasso pintar tantos cuadros sin que nadie le perturbara preguntándole si estaba ya la cena; él que nos dejó esta célebre frase: «No creo en la inspiración, pero, si llega, que me encuentre trabajando y no en la cola del supermercado»? ¡Qué grande era Picasso, cómo expresan los artistas la condición de las mujeres! Justo eso mismo es lo que yo necesitaría, más horas para terminar este libro, que la inspiración me encuentre tecleando y no comprando en la tienda de abajo. Susúrranos al oído el secreto, Picasso.

¿Cómo ha podido tanto artista dedicarse a vivir una vida rodeada de excesos y «mujeres» —según sus propias palabras—, irse de gira una y otra vez con sus entrañables amigos al tiempo que criaba dos hijas, y que su casa grande estuviera limpia y arreglada cuando entraban y salían tantos amigos que eran tan creativos? Me dices, oh, muso, que solo hay un secreto, pero que ni siquiera es tal, que es sobradamente conocido. Ellos engendran los hijos, pero unos seres llamados «mujeres» los crían. (Nota: ¡anda, mira, nosotras somos mujeres!)

De todo lo anteriormente expuesto se deduce, *more geometrico*, como le gustaba a Spinoza, una de las causas que han llevado a los hombres a oprimir a las mujeres. Sobre todo, a perseverar en su opresión. Los varones han podido fundar familias, sagas enteras, niñas limpias y cariñosas o un techo al que volver y cobijarse, y todo ello sin renunciar a nada; maticemos, a casi nada. Sin renunciar a sus sueños apolíneos ni a sus desmadres dionisiacos.

De todos los ejemplos posibles voy a poner solo uno. El de Charles Chaplin, alias Charlot.

Charlot es famoso por haber representado en el cine la figura del perdedor; perdedor, pero de gran calidad humana, bueno y noble como pocos. En la vida real no era exactamente así. Acumuló una fortuna, se casó cuatro veces y tuvo un montón de hijos. Como ves, contó con la oportunidad de compatibilizar una intensa vida personal con una carrera muy productiva. Su última película, *Candilejas*, la rodó con sesenta y tres años. Su compañera de reparto era cuarenta y dos años más joven. No es una errata: cuarenta y dos.

Hoy resulta inevitable que desde la filosofía surjan nuevas preguntas. ¿Era necesario que fuera tan joven, una cría? Resuenan las palabras de la incomparable Virginia Woolf: «Los hombres han convertido a las mujeres en espejos en los que se ven reflejados al doble de su tamaño». Se miran en una chica, cuarenta y dos años menor, y el espejo les va quitando las arrugas, la flacidez, el olor, la dentadura postiza. ¡Soy un hombre! Esta consigna del espejo la siguen sin duda todos los que según cumplen años van seleccionando chicas más y más jóvenes. De continuar con esta progresión aritmética, Leonardo di Caprio pronto tendrá que ir buscando novia en clase de preparación al parto.

Si dejamos el cine, que al fin y al cabo es una ficción,

y volvemos a la vida real encontramos que la cuarta esposa de Chaplin «abandonó su carrera de actriz en cuanto se casó». Señores de *Wikipedia*, córtense un pelo, que la chica se casó con dieciocho años, ¿qué carrera iba a abandonar? El actor, director y productor le llevaba treinta y seis años y tuvieron ocho hijos. Ya sabemos que el amor es ciego. Tan ciego que Oona O'Neill, la afortunada cuarta esposa, había sido abandonada por su padre cuando tenía dos años, porque, ejem, se había enamorado de una mujer distinta a su madre. Este padre que se mudó a otro continente para vivir sin los engorros propios de la crianza fue un novelista, Eugene O'Neill, un premio Nobel que supo describir bien las profundas zozobras y angustias del ser humano. Sí, hijo, sí, para angustia y zozobra, la que debió de experimentar tu niña. De tu esposa abandonada ni te hablo. No vayan a decirme que «soy muy conservadora». ¿Yo? ¿No serás tú el *conservador de tu bien más preciado*, tu propia persona? Tú, que has ido de esposa en esposa buscando estar siempre bien cuidado, bien lavado. Buscando lo que, sin rubor ni vergüenza, conceptualizaron como el merecido «reposo del guerrero». Lógicamente, los hombres intelectuales se revuelven cuando queremos cambiarles el espejo antiguo por uno nuevo, donde se vean reflejados a un tamaño más real. Y entonces nos etiquetan: «conservadora», «puritana». Fíjate un poco en esa familia grande, en ciertos intelectuales, cómo se protegen unos a otros. Es más, lee algún día la novela *La familia grande*, de Camille Kouchner. Esta novela habla de los padres que parten para salvar al mundo y dejan a sus hijos solos ante los peligros que los rodean.

Claro que me enfado, cómo no me voy a enfadar. No sería humana si no me quejara. Sería una mujer entrenada para sonreír y que se repite a sí misma: «La mujer lista se hace la tonta». Se acabó, esto se tiene que acabar.

Aquí subyace, pensativa Celia, una de las razones de fondo que han llevado a los hombres a dominar a las mujeres durante milenios: la posibilidad que esto les ha dado de compaginar lo dionisiaco y lo apolíneo. Se han dado a sí mismos la posibilidad de vivir los dos lados de la vida. De no renunciar a casi nada. De no ponerse límites. Y de empezar siempre de nuevo, apoyándose en una nueva mujer, más fresca, más lozana. Tengo lo apolíneo y tengo lo dionisiaco.

Para las mujeres, esta injusta situación ha supuesto, en general, el fin de sus sueños. Cuando se tienen varios hijos, como les sucedía a las que nos precedieron, la aspiración más elevada, racional y apolínea es dormir. Y la más dionisiaca, dormir mucho, dormir con exceso, sin medida.

Para verlo con más claridad vamos a hacer un «como si» los hombres hubieran pactado repartirse a las mujeres y sus cuidados. No es una teoría de la conspiración, tranquila, es más bien una teoría del interés, en el sentido marxista. Un «como si» es un recurso de la filosofía kantiana para imaginar cuáles podrían ser las causas de un fenómeno que conocemos como «efecto». Cuando teorizamos sobre el *contrato sexual* no pensamos que tal pacto se diera exactamente en un día concreto, el pacto es una ficción, una hipótesis que nos sirve para explicar sus consecuencias: una serie de acuerdos básicos entre varones, que funcionan tan bien que parece «como si» realmente se hubieran reunido y firmado un documento, por el gran consenso de sus decisiones. Que pactaron intercambiarse a las mujeres como cromos no lo digo yo, lo dice el reconocido antropólogo Lévi-Strauss. Está en la parte de Ontología; si hace falta, vuelve hacia atrás.

Para nuestro «como si» vamos a reencontrarnos con otro viejo conocido, el mamut de las cavernas. Entenderemos mejor esta historia si volvemos a imaginar a aquellos hombres primitivos que decidieron salir *solos* de caza. Día tras día, siguiendo las huellas del mamut. Al llegar la noche, tal vez se reunían bajo el fuego, y charlando charlando iban perfilando una idea acerca de la vida buena y el reparto de tareas. «Compañeros, igual es una bobada lo que estoy pensando, pero ¿no es acaso más relajante y motivador estar aquí reunidos, disfrutando de nuestra conversación y tumbados bajo este divino cielo estrellado, por encima de nosotros, que permanecer allá en la cueva, todo el día con el ruido de los niños y las toses de los enfermos, por no hablar de las quejas de las señoras?»

Así es como pudo surgir una cierta preferencia por una manera de vida, por unos contenidos asociados a la vida buena. No me digas cómo, pero se la quedaron los del mamut para ellos, quizá fue por el agotamiento de las mujeres. Se establecieron dos tipos de vida distintos y se asociaron a dos esferas o espacios vitales.

Cuidar o no cuidar y dedicarnos a todo lo demás, esta parece que fue la cuestión que se resolvió en los orígenes del patriarcado.

2

De la esfera privada, la esfera pública y las condiciones de la vida buena

Pero ¿qué diablos quieren las mujeres?

Llegadas a este punto, estamos inmersas en la doble verdad que nos ha ofrecido la filosofía respecto a los valores y el sentido de la vida. Las esferas de lo público y lo privado han sido y son dos espacios con valores y fines distintos. Con sentidos de la vida y promesas de felicidad muy diferentes.

La esfera doméstica, el espacio de lo privado, se constituyó como la esfera de la necesidad, asociada a los ciclos repetitivos de la naturaleza, monotonía de lluvia tras los cristales. Nacer y crecer y luego morir en versión casa.0:

cocinar y comer y luego fregar, y así cuatro veces al día por 365 días al año. Apoyada en la esfera doméstica, la esfera de lo público se convirtió en el lugar donde fueron tomando forma los sueños de la humanidad, o sea, de los hombres. Así se gestó la esfera de la cultura, de la técnica y de la libertad. De las invenciones, de las conspiraciones, de los libros y de los cafés, de las guerras y de las revoluciones. No quisiera idealizar lo que ha sido y es el trabajo en la mina o en la oficina. Tampoco lo que supone haber sido un joven soldado en las trincheras de la Primera Guerra Mundial. No parece una *vida buena*, desde luego, no parece algo envidiable. Pero es el espacio por el que tanto han luchado las mujeres, en busca de una vida con sentido.

Piénsalo un momento, ¿era acaso mejor ser la madre del soldado en las trincheras? ¿En qué sentido concreto? Si aquellas madres hubieran tenido algo de poder, ¿hubieran mandado a los hijos a la guerra?

La filosofía tiende hoy a sostener que no hay criterios para dirimir los contenidos de la vida buena; por tanto, parecería que no puede haber criterios para discernir si es mejor o peor, en lo que respecta a la felicidad y la vida buena, dedicar la propia vida a cuidar o a cualquier otra actividad propia de la esfera pública. Esta es una cuestión difícil de contestar desde la teoría, porque, justamente, la filosofía no puede sentenciar que una vida es más valiosa que otra. Todas las vidas son igualmente valiosas. Pero quienes lucharon y luchan en las calles, sí tienen una idea clara de las *condiciones objetivas* de una vida buena.

La filosofía ha debatido mucho sobre los contenidos de la vida buena y ha concluido que es mejor no pronunciarse sobre el tema. Porque hay que manejar dos creencias que parecen difícilmente compatibles, que toda vida es igualmente valiosa y que unas formas de vida son más valiosas que otras. Todas las vidas son igualmente valiosas porque todas tienen *el mismo valor humano, el mismo valor ontológico.* Pero también es fácil darse cuenta de que no todo es igual de valioso en la vida. Siempre subyace el concepto de que hay unas cosas mejores que otras, incluso en las posiciones aparentemente más antisistema. La líder de la banda The Slits, Viv Albertine, escribió: «El punk era moralista, se dictaminaba lo que estaba bien y lo que no». Siempre hay un normativismo o un cripto-normativismo. Los valores pueden depender de cada comunidad y de cada momento histórico, pero también está claro que las revoluciones y las revueltas se producen por la aspiración concreta de una vida mejor, por la aspiración de disfrutar de las mismas condiciones que los demás para decidir tu vida buena.

Respecto a los contenidos concretos de la vida feliz, no es fácil llegar a un acuerdo. John Stuart Mill tenía claro que la autoconciencia es ya una forma de vida buena, por eso dijo: «Prefiero ser un Sócrates infeliz que un cerdo satisfecho». Hoy le podrían acusar de cerdofobia, de elitismo... como efectivamente ya se ha hecho. Pero sus palabras tienen mucho sentido.

Imagínate que tu hijo afirma con determinación que solamente es feliz jugando a videojuegos. Que eso, simplemente, es lo que le hace feliz. ¿Cómo convencerle de que hay más cosas en la vida y que debería intentar conocerlas? Imagina esta respuesta: «Mamá, no soy tonto, entiendo bien lo que dices, pero no me interesa. Si me respetas, déjame ser libre, ser yo mismo. Vete, por favor, y déjame seguir jugando; además, tú te pasas el día teletrabajando, leyendo, viendo documentales. Y quejándote de todo. Mira, yo no me quejo. Tal vez deberías hacer como yo, te dejo un mando». (Nota: ¡Virgen de Guadalupe!, no me había fijado en esa palabra hasta verla ahora escrita, un «mando».) «Sí, querido hijo mío —le contestarías probablemente—, me gustaría coger el *mando*, pero se te olvida un pequeño detalle, y es que, amén de mujer proveedora, también estoy pluriempleada como asistenta doméstica. ¿Quién le hace la cena al jugador a tiempo completo?»

La vida buena no es solo una cuestión de preferencia individual, es de justicia social. Y no se pueden separar estas dos dimensiones de la vida moral. Porque se olvida a costa de quién o quiénes se realizan tantas vidas individuales.

La historia de la lucha de las mujeres por cambiar el rumbo de sus vidas bien podría aportar algo de luz sobre este espinoso asunto, irresoluble en un papel. Más que aportar argumentos, voy a recurrir al comodín de la historia. Las mujeres se plantaron hace doscientos años para decirle claramente a la sociedad, a la comunidad humana, que no querían seguir viviendo encerradas en la esfera privada, que se dejaran ya de discursos sobre la excelencia de las mujeres y homenajes vacíos a una supuesta esencia de la *feminidad* y que les devolvieran la llave de la puerta. Las mujeres han luchado por el voto, por el trabajo asalariado, por ser militares y guardias civiles, e incluso por ser mineras. Y, fíjate bien, los hombres *nunca nunca nunca han luchado por tener lo que teníamos nosotras*. No tenemos registradas esas manifestaciones con pancartas: «Queremos hacer lo que hacen las mujeres», «Queremos vivir como ellas, en el sacrificio y la entrega al proyecto de los otros», «Que salgan ellas a luchar y trabajar en las canteras y nosotros, a casa a cuidar(las) a ellas y sus hijas».

Los varones no han querido abandonar su forma de vida. De hecho, siguen resistiéndose heroicamente a abandonarla, por mucho que las mujeres hayamos cambiado drásticamente la nuestra. Al parecer, no quieren renunciar a ese seguir disfrutando de lo que es, en principio, incompatible: lo apolíneo y lo dionisiaco con el cuidado de los otros. Y es que, bien pensado, ¿cómo renunciar a ese hecho asombroso de que alguien decida libremente (ejem) poner su vida al servicio de la tuya, poner su proyecto de vida al servicio del tuyo? Cariño, tú puedes ser científico, jugador de fútbol, director de orquesta o camionero, y yo cuido tu casa, nosotras te seguimos por el mundo, nos vamos a Andorra contigo. O te esperamos aquí, para no mover más a los niños... y, espera, que alguien tendrá que atender a nuestros mayores, a los que han quedado tras la pandemia. *A esto lo llamamos el chollo ontológico de la mitad de la humanidad.*

A esto, cara Celia, es a lo que hemos salido tantos millones de mujeres en todo el mundo, a decir *Basta ya* y *Hasta aquí hemos llegado.* Llevamos con este mensaje unos doscientos años.

Ahora vamos a ver cuáles son esos privilegios que tantos buenos chicos son incapaces de ver y comprender.

¿Dónde están mis privilegios?

Ellos se preguntan con verdadero sentimiento: «Pero ¿dónde [cojones] están mis privilegios?». (Nota: les gusta mucho mencionar esa parte de su cuerpo, no me preguntes por qué.) Pues, querido hombre heterosexual blanco, aquí hemos encontrado unos cuantos. Todos los privilegios que te permiten ser un *youtuber* a tiempo completo. Que alguien te ha cuidado y, a saber, quizá sigue cuidándote, y sin reciprocidad. Porque tú tienes mucho tiempo libre, ¿no? Al igual que todos los que han creado los *filosofitos* y todas esas páginas tan creativas de la red. Entre los filosofitos no hay ninguna *filosofita*. Los que gestionan la página web, tan brillante, no se acuerdan de que hay mujeres por ahí pensando. Por eso no pueden ver sus privilegios, les ciega el brillo y el resplandor de sus obras.

Imagínate que, mientras lees este libro, alguien se está ocupando de ti, de todas tus necesidades y regalándote con ello el acceso al reino de la libertad. Manos invisibles, pero cariñosas y, sobre todo, que no piden nada, no demandan reciprocidad. Hasta que esa persona comienza a estar ya siempre enfadada. Lo decía la gran Flora Tristán, que el ser humano (y hablaba también de las mujeres) no tolera bien el sometimiento, siempre se termina rebelando, de forma directa o indirecta. A veces es el cuerpo el que se rebela y enferma. Igual en la forma de trastornos de la alimentación, trastornos del sueño o de las ganas de vivir. Algo no marcha bien, pero ¿qué podría ser si lo tengo todo para estar contenta, para ser feliz, si soy una persona de la pequeña parte del mundo rico y democrático? ¿Seré una egoísta y una mezquina, una privilegiada insustancial, una niña mimada incapaz de valorar lo que tengo? Ay, las mujeres y *el problema que no tiene nombre,* como decía Betty Friedan: siempre quejándose, siempre autoexaminándose, siempre descontentas.

Déjame que te cuente una historia. Sigmund Freud, el padre del psicoanálisis y de seis hijos, era un hombre concienzudo, se tomaba muy en serio su contribución al mundo. De hecho, su influencia ha sido enorme en nuestra cultura occidental. Poco antes de morir confesaba que, si bien había aportado grandes conocimientos a la humanidad, quedaba pendiente de dilucidar un tema muy complicado, un interrogante que dejaba abierto para investigaciones futuras: «¿Qué quieren las mujeres?». Hoy en día esta pregunta sigue oyéndose en los hogares, en innumerables chistes y *performances* que viajan por internet. Pero, en nombre del cielo, ¿qué quieren las mujeres, que es como si estuvieran siempre un punto amargadas?

Las mujeres quieren que te levantes del sofá y te pongas a limpiar. Que dejes de ver pornografía, que pareces tonto por cómo te tienen atrapado cuatro listos y negociantes; que dejes de dedicar tu vida al culebrón de la Liga, la Champions, la Vuelta ciclista y el Roland Garros, el MotoGP y los *play-off*. Que dejes de mirar y contemplar a hombres jugando a todo tipo de cosas y te dediques a ver lo que sucede a tu alrededor. Que no te empeñes en salvar el mundo mientras no haces nada por salvar a tus hijos. Que dejes de ser un egoísta absoluto en las relaciones sexuales y te apliques a dar placer y no a recibirlo como si fueras uno de esos lelos del porno. Que no se te ocurra engañar ni mentir a nadie que te quiera. Que dejes de hablar del niño que llevas dentro y seas el chico y el mayor que eres. Y que, venga, dejéis de echarle tanto morro colectivo a la vida y vamos a ponernos todos juntos a cambiar este sistema depredador.

Las mujeres quieren que te levantes y *te pongas en su lugar*. En nuestro lugar.

Algunos hombres lo están haciendo, unos se están asociando, otros están escribiendo, *llévame a casa*. Tenemos esperanza, pero debe ser un cambio colectivo, estructural.

El problema, Celia, es que el neoliberalismo nos amaestra con el mensaje de que cada uno debe buscar su propio bien. Y, aunque hay una verdad en eso, el sistema actual lo difunde con el fin de legitimar enormes desigualdades. Por ello, hablamos del mito de la libre elección. Estas páginas no tratan de juzgar a nadie, tampoco a los hombres, aunque lo parezca, de lo que tratan es de hacer pensar. Termino con esta frase de una maestra del pensamiento: «El feminismo y, por ende, las feministas no cuestionan las decisiones individuales de una mujer, sino las razones que las obligan a tomarlas». Se llama como tú, Celia Amorós.

La búsqueda de sentido frente a la búsqueda de felicidad

En la última década se ha desarrollado una frenética industria centrada en hacerte feliz. ¿Cómo tratan de hacerlo? ¿Te ofrecen un buen empleo y un buen salario, las condiciones necesarias para que busques tu propio camino a la felicidad? No, tratan de venderte artefactos, mercancías. La happycracia, el discurso de la felicidad y el pensamiento positivo, parece una estrategia de mercado más, interesada en vender y hacer caja con la promesa de felicidad. Libros de autoayuda; libros de vidas ejemplares; tazas, estuches, camisetas y sacapuntas con sus positivos mensajes «Tú puedes», «Haz realidad tus sueños» o «El único fracaso es no levantarse de nuevo». Todo esto comenzó hace años con una vieja tonadilla *feel happy* y una carita redonda, amarilla y sonriente. Llovía y tú silbabas, hacía sol y tú silbabas. Encontrabas un trabajo y silbabas, te echaban a patadas del trabajo y silbabas la canción de marras. Y, si no bastaba con la carita sonriente, pues te ponían una carita traviesa —hazte un canuto y se te pasará—, y seguías con la canción, *Everything's gonna be alright*.

Tal vez aquel fuera el momento en que la industria se percató de que el aire de los tiempos estaba cambiando. No me digas cómo, pero la reacción sesentera y anticapitalista contra la vida segura y ordenada, centrada en el trabajo asalariado de 9 a 5, ha terminado en el trabajo basura y la tomadura de pelo de la globalización. La felicidad se ha ido convirtiendo en una *actitud* que nada tiene que ver con las condiciones objetivas de tu existencia.

Flexibilidad, diversidad y reciclaje continuo se han redefinido como valores juveniles y joviales frente a los propios de personas espesas y aburridas que buscan seguridad y compromiso. No, yo no soy una persona que busque algo sólido, yo quiero incertidumbre, aventura... no necesito más que quererme a mí misma y mis sueños. La industria de las dichosas tazas con asas y mensajes positivos ha adquirido un enrevesado dominio sobre nuestras mentes.

Llevamos mucho tiempo de engaño con el mensaje de que ser feliz es algo subjetivo y que la vida es cuestión de actitud. La vida no es solo cuestión de actitud. Ni mucho menos. Si pierdes tu empleo y te ves obligada a cambiar de ciudad, tal vez sea importante tu actitud, pero si no encuentras empleo en ningún sitio, ¿también es cuestión de actitud? Es cuestión de una estructura social injusta y hay que organizarse para cambiarla.

En la sociedad prepandemia el capitalismo neoliberal y la doble verdad patriarcal estaban segando tu posibilidad de llevar una vida autónoma dentro de la interdependencia con los demás. El relato de una vida con sentido ha sido sustituido por el falaz discurso del «persigue tus sueños» y el «*be happy*». No dudes un momento de que en tu vida habrá partes de felicidad, como habrá partes de dolor y tristeza. Si quieres algún consejo por la vía filosófica, lo mejor es mirar hacia el gran John Stuart Mill. Para este filósofo, la felicidad es uno de esos fines que, si se persiguen directamente, se frustran, son *self-defeating*. Cuando te dicen «sé feliz» es como cuando te dicen «sé espontánea». No lo puedes ser porque, por definición, lo espontáneo no puede proceder de una orden. La felicidad tampoco puede lograrse a partir de una orden: tienes salud y veinte años, comes todos los días, sé feliz. Las cosas no funcionan así exactamente.

Tú lo que necesitas es una sociedad justa, y luego dependerá de otros factores el hecho de que te sientas feliz. Lee a las filósofas morales, lee a Victoria Camps, Adela Cortina y Esperanza Guisán.

Además, tú misma, al igual que sucede en *Matrix*, has rechazado la oportunidad de alcanzar una felicidad garantizada a costa de tomar una sencilla pastilla de colorines, bajo la tutela de una máquina tan inteligente como justa. Tú nos dijiste que no quieres ser feliz a costa de seguir los dictados de una tutora excelente, de alguien que tome por ti las mejores decisiones de tu vida, nos dijiste que tú quieres ser feliz o no serlo, pero a tu manera.

Devocionada Celia, escribo estas páginas porque más

que ninguna otra cosa deseo que tú y tu generación podáis vivir la vida con seguridad, pasión y equilibrio; que puedas saltar y sentir la firmeza de la tierra que pisas, sentir que miras para atrás y siempre hay alguien, aunque no esté precisamente tejiendo y destejiendo; que puedas salir y entrar, seguir con tus cosas, con tu camino; y que puedas dejar algún día atrás a la niña que llevas dentro. Tal vez algún día volverás a llevar una niña dentro, pero no será tu yo del pasado, será tu hija y necesitará una madre, no un ser que da vueltas como una peonza pensando solo en su yo.

Tú eres una *buscadora*, como todo ser humano a quien no han dado su destino hecho desde pequeña, y a quien la felicidad, si acaso, se le dará por añadidura. Por eso no te preocupes. Preocúpate por las condiciones objetivas que os permitirán tener una vida buena, por la autonomía y el trabajo, por el reconocimiento y las relaciones, por la interdependencia.

3

De la necesidad de autonomía material

La mayoría de las niñas que nacimos en los sesenta tuvimos madres que eran amas de casa. No tenían autonomía económica, no ingresaban dinero alguno. En ese sentido, dependían materialmente de los hombres y sus salarios. Eso significaba que, si eran buenos maridos, no habría problemas, pero si eran gastadores o tacaños, ellas tenían que resignarse. Si les amenazaban con cortarles el suministro de dinero tendrían que hacer sumisión, como las hienas. Tal vez la mayoría de los varones eran buenos maridos y padres, pero ¿y si no lo eran?

Las mujeres no tenían empleos, aunque sí trabajaban, su trabajo consistía en cuidarles a ellos y a su pequeño conjunto de hijas e hijos.

Estas madres abnegadas bien podían haber tenido entre tres y cuatro hijos muy seguidos. Era la media. Solo para alimentarnos cada día se pasaban horas en las colas de los recién creados supermercados. No era extraño subir tres litros de leche y cuatro barras de pan cada día, lo que sumaba 21 litros de leche y 28 barras de pan a la semana. Estas amas de casa a tiempo completo se las arreglaron para mandarnos un mensaje muy claro: prepárate, estudia, gana tu propio dinero, «sé algo». Hija mía, no vivas la misma vida que yo, aprende a ser independiente. A los hijos se les adora, no hay nada que se quiera más en el mundo, pero tú estudia. ¿Nos resultaba esto confuso, contradictorio? En cierta manera, sí. Por un lado, nos decían que los hijos eran lo más, y por otro, nos encaminaban hacia una vida en la que no los divisábamos en el horizonte. Si acaso, allá lejos, muy lejos, cumplidos los cuarenta.

Una pequeña consecuencia de esta educación fue el desplome de la tasa de natalidad en este país. Hoy sigue cayendo, pero fue mi generación la que realizó la transición: pasamos de una de las tasas de natalidad más altas de Europa, a la más baja ¡del mundo! en 1999. Justo es el año en que tú naciste, Celia. Aquel día estábamos en la sala de espera del área de maternidad del Hospital Clínico de Madrid una mujer musulmana, tu padre y yo. Miré a la mujer con una cara que quería decir «nos van a atender muy bien a las dos, luego dicen que la sanidad pública está masificada». En el 2000 parece que se animó un poco más la cuestión de la natalidad, a la gente le hacía ilusión que sus hijas nacieran en un año tan redondo.

Estudiar, un proyecto de una vida mejor

En la década prodigiosa fuimos machaconamente educadas en un valor: no hay nada como estudiar. Estudiar era la llave material hacia el empleo y la autonomía, pero también hacia algo intangible, el saber, la cultura. Este era un tesoro que el dinero no podía comprar, solo el esfuerzo, y por tanto, nadie nos lo podría arrebatar. Quien entraba por la senda de la lectura había encontrado «una casa para siempre», Vila-Matas *dixit*. Hay valores especialmente valiosos porque no son externos, los llevas dentro de ti, como sabían los epicúreos y los estoicos. Saber de Homero —el de Zeus y Hera—, saber de Olympe de Gouges y de Madame de Staël, saber de las maravillas de la naturaleza, de las elefantas, las sepias y las escarabajas peloteras... Las madres se sentían felices de ver a sus hijas agarradas a los libros. Esta niña no va a repetir mi vida, cómo le gusta leer. Eso sí, un rato después y con cierta irritación, escuchábamos un mandato solo para niñas: «¡Niña, deja ya de leer y a poner la mesa!». Los hermanos seguían a su aire y una doble verdad se iba abriendo paso.

Estas contradicciones nos debieron de convertir en seres jánicos, bifrontes, desde la más tierna infancia. Todavía íbamos con falda, cosas del uniforme, y los niños no nos dejaban jugar al fútbol, pero ya no podían impedirnos leer. Mundo, vamos a por ti y vamos a través del estudio. Con el estudio llegaría luego el vino y el tabaco, a veces la militancia política, pero esa es otra historia.

Ser una niña lista y sacar buenas notas eran cualidades que te garantizaban una serie de halagos rituales. Alimentaban tu concepción de ti misma y te orientaban hacia los valores que apreciaba tu comunidad. Si se te daban bien las matemáticas, aquello ya era el paroxismo, era haber triunfado en la vida. «A Maripepa se le dan bien las matemáticas, ¡oooh!»

Eso sí, al tiempo que lidiabas con la *Canción del pirata* y el verbo *avoir*, tu madre iba a cogerte de la mano y arrastrarte *del mundo de las ideas a la pura caverna* del supermercado. La cola del pescado, la cola de la carne y, horror, la cola de frutas y verduras que se hacía eterna. En aquellas colas empezamos a familiarizarnos con eso que Nietzsche, un filósofo muy admirado, había denominado «el eterno retorno», pues se iba a la compra cada día. Cada poco tiempo se repetían los mismos comentarios: «Qué cara de lista tiene», y amagabas con una sonrisa desdentada y vergonzosa; y «¿Saca buenas notas?». Una vez que este punto quedaba claro, la amable vecina ya se interesaba por el otro asunto: «¿Ayudas mucho en casa, guapina?». Mi madre, que siempre estaba deseando poder criticarnos para contrapesar el profundo orgullo que sentía por su obra —en su fuero interno era platónica y sus hijos encarnábamos las ideas de lo bello, lo inteligente y lo revoltoso—, ponía cara de corderilla pascual, de víctima: «Para la casa ya es otra cosa, muy desordenada». Las maravillosas señoras de sus casas echaban unas carcajadas y cambiaban de tema. Si sacabas buenas notas, incluso lo peor que podía ser una niña, una «vaga» que no ayudaba en casa, tenía un pase.

Mucho debemos a la genealogía de mujeres feministas que se partieron el alma para dejarnos una vida humana, pero cuánto debemos a esas madres que nos colocaron unas alitas para volar fuera de casa. Nosotras, Ícaras del siglo xx, hemos volado, pero no junto a ellas, nosotras teníamos que alejarnos de la familia y así lo hicimos. Porque, joven Celia, a las madres y padres hay que dejarlos para poder llegar a ser. Algunos días lloro un rato porque esto tenga inexorablemente que ser así. Pero tú no te preocupes y tira hacia delante. Es parte de la condición humana, es el llanto de Heráclito, de las poetas, de las madres que cierran los brazos y recuerdan cómo era acunar a su bebé. Alguna vez llegábamos a contar hasta mil elefantes columpiándose debajo de una araña. Todo pasa, nada permanece. Salvo Homero, por lo visto.

El espíritu de la época en general, y numerosas madres en particular, nos encaminaron al crecimiento personal y al trabajo asalariado. Pero había niñas que no se adaptaron bien a la rutina académica por muchas razones, porque no había un solo libro en su hogar, porque tenían que ayudar demasiado en las labores de la casa... También había niñas encaminadas a encontrar el reconocimiento en arreglarse bien, salir con chicos algo mayores y a veces casarse pronto. Pero no fue lo propio de mi generación, lo propio fue que había que estudiar. Vivíamos con el objetivo de pasar de curso en curso, como ocas en un tablero que podían avanzar hasta la universidad. Si te desviabas de este camino se decía que «no valías para estudiar». A pesar de las cosas positivas que, sin duda, nos traía esta cultura del esfuerzo, también trajo consigo injusticias para la autoestima de las niñas a las que no se les daba bien estudiar o que, sencillamente, no tenían ningún apoyo en casa. A veces, incluso les insultaban y se reían de ellas algunas profesoras, como le sucedió a una compañera cuando la profesora de literatura le dijo que era un vegetal. Espero que esto forme parte del pasado, ninguna niña tiene que ser avergonzada por no recordar de memoria a los nueve varones que nos decían que formaban la generación del 27. (¿Dónde estaban las artistas, las poetas?) No hacía ninguna gracia cuando nos humillaban. Pasado el tiempo, he escuchado a algunas personas decir «No se me daba bien estudiar», «Era una vaga», «Era tonta»… Nadie debería hablar así de sí misma.

Con sus pros y sus contras el balance de aquellos años de formación no es negativo. En aquella época, y sin idealizarla, el valor que se otorgaba al esfuerzo y la cultura hubiera hecho imposible que personas sin ningún mérito protagonizaran parte de la vida social y televisiva. A los concursos se iba a demostrar algo, no a ser mirada y observada como en una pecera, ni a contar lo que comes, lo que haces, lo que follas.

Lo que está claro es que recibíamos un valor de manera muy coherente: aprender es bueno, saber es lo más. De paso, nos entrenaban en el valor del esfuerzo, vivir era un camino con obstáculos, pero rentaba. Aquella sociedad nos proporcionaba un mapa, las instrucciones andaban por aquí y por allá, pero las había y, si las encontrabas y perseverabas, tenías que acabar llegando a la isla del tesoro.

El trabajo como promesa de realización

En la adolescencia comenzamos a escuchar una palabra nueva, «realizarse». Lo mismo la escuchabas en la tele —«Las mujeres modernas quieren realizarse»—, que la encontrabas en novelas como *Miedo a volar*. «Realizarse» hacía alusión a algo que parecía solo para mujeres. Las mujeres querían realizarse. Con esta bonita palabra comprendimos que una joven moderna no quería ser solo ama de casa, quería también tener una dimensión pública. Los hombres debían de venir con el pack de realización de serie. Nunca escuchábamos «los hombres quieren realizarse», quizá hubiera sonado un poco ridículo. Ellos tendrían un proyecto de vida, así iba funcionando la doble verdad.

Nuestras madres, como he dicho, se las arreglaron bien para mandarnos un mensaje que cambiaría el sentido de nuestra vida respecto a la suya. Soy consciente de que me repito, pero es que apenas se ha contado la rebelión de efecto retardado de nuestras madres. Se rebelaron apoyando nuestra salida al espacio público.

Las niñas nos dispusimos a realizarnos. La idea era realizar con placer un trabajo, unas actividades que te gustaran especialmente, y que no fueran «nuestras labores», las propias de nuestro sexo. Tenía que ser un deporte, cerámica, viajar, aprender inglés, ¡irte de *au pair* a Londres! Cualquier cosa, con la condición de que implicara entrenamiento, sistema, mejora, superación. En mis tiempos ya había decaído, por ser considerada una palabra un poco carca, la idea de «vocación», de ser llamada a algo. Pero, en verdad, realizarse se ha relacionado siempre con la idea de vocación: hacer algo a lo que sientes que te llaman, casi hasta en contra de tu voluntad. «Toc, toc. Soy la llamada del feminismo.» «Es que ahora no es un buen momento, estoy en plena adolescencia y bastante ocupada, vuelve cuando esté en la universidad.» La llamada está ahí y tarde o temprano la atenderás.

Había un problema con la palabra «vocación», su significado se había ido estrechando para identificarse con la llamada de Dios. Si Dios te llamaba, aunque no te hiciera gracia, tenías que escuchar y meterte cura o monja. Ahora bien, la vocación nunca era igual para las chicas y los chicos. Por ejemplo, a las mujeres la voz no les llamaba para curas ni obispas, ni papas. Estaba y está prohibido que una mujer represente a Dios en la tierra. Sí, racional Celia, ya sé que suena algo extraño. El patriarcado es el patriarcado.

La vocación siempre estuvo marcada por el género. Los hombres, aunque dieran por hecho que iban a ser padres en el sentido de fundar una familia, pues no lo han llamado nunca su «vocación». Eso era algo que se hacía de serie, no individualizaba a los varones. «¿Tú qué eres?» «Soy padre, mis labores.» Esto evidencia que la vocación no ha sido nunca tan espiritual y etérea como parece. Está muy condicionada, nunca lo olvides, por la clase social, por el sexo y por muchos otros factores. Pero también es esa llamada, la vocación, lo que ha hecho que salten por los aires las anteriores determinaciones. He conocido muchas personas que no tuvieron un solo libro en su casa y desde pequeñas desarrollaron la vocación de leer, escribir, vivir rodeadas de libros. Esto me recuerda lo valioso que es encontrar un trabajo que te guste, que se relacione de alguna manera con tu vocación; condicionada, imperfecta, pero que quizá exista. Escucha un poco ahí fuera sin los cascos, por si acaso.

El trabajo es necesario, puesto que el ser humano necesita bienes para sobrevivir, pero además hasta ahora ha sido una forma de dar estructura a la vida. El trabajo ha servido como vía primera de autonomía, como vía de realización y como forma de montar una vida. Aún hay más: como forma de ser necesaria o como forma de socializar con los demás, de conocer gente nueva, pero relacionada con tus gustos, una forma de tocar tierra y algo parecido a autosuperarnos.

Un buen trabajo es mucho más que un salario. Una porquería de trabajo es mucho más que una porquería de trabajo. Es la corrosión de una forma de entender la vida y darle sentido.

Una mierda de expectativas: la corrosión del carácter

Mis jóvenes estudiantes, hijas del siglo XXI, hablan así: «Ya sé que nunca voy a trabajar en algo que me guste», y «Si encuentro trabajo, que esa es otra, seguro que voy a ganar una mierda». ¿Qué? Esto lo dicen chicas jóvenes que han nacido en una de las sociedades más ricas y estables del mundo. Ponte en el lugar de una niña pequeña, imaginando así su futuro: «Para terminar, oh, espíritus del alba, solo pido que cuando sea mayor no me guste nada lo que haga y que a la gente que me rodea le parezca una increíble chorrada». Nadie quiere pasar la mayor parte del tiempo haciendo algo que no le gusta y, encima, sin reconocimiento.

R. J. Magill escribe en *Sincerity* sobre una joven que trabaja en una librería. Tiene una gran formación y adora los libros, pero no deja de ser sustituible. Está allí para vender, lo que sea, pero vender, porque, si no es así, la librería cierra y su empleo, aunque sea precario, desaparece. «Me gradué en 2001 [...] todos mis compañeros de trabajo tenían grados en inglés o filosofía y todos desdeñábamos con la misma intensidad el gusto de nuestros clientes por los best sellers más estúpidos, en la misma proporción en que sentíamos la inutilidad de nuestros refinados gustos, el valor de los cuales tenía, al menos aparentemente, un tope real de 12,50 dólares la hora», dice la joven librera.

Hay personas que adoran su trabajo —en este caso, los libros—, se han formado con esfuerzo e ilusión y el resultado es que no pueden vivir más que en la semimiseria. ¿Qué haces en esta situación? ¿Considerarte una privilegiada «blanca, heterosexual de clase media» y reflexionar sobre tus privilegios? ¿Qué tipo de humillación sufren las personas cuando las expectativas que les ha creado su familia, su comunidad, terminan siendo despreciadas? Es un tipo de humillación distinta de la que experimentan quienes no han podido tener ni siquiera expectativas, pero es una humillación que va también al núcleo duro de nuestra dignidad. Eres sustituible, no eres nada. Si te vas, hay cien esperando por tu mierda de puesto.

En nuestro mundo, las cosas no eran exactamente así. No quisiera idealizarlo, pero no era un mundo que defraudara las expectativas creadas de una manera tan radical. No encontrábamos riadas de historiadoras, filólogas y sociólogas trabajando de camareras en Londres. El mundo de ayer era un mundo más estable. Cuando entrabas en un puesto de trabajo, tendía a ser para toda la vida. Entraba dentro de lo posible y razonable que fueras ascendiendo. Entrabas de aprendiz, luego oficial, más tarde, tal vez, jefa de área. Tenías un oficio y podías mejorar e innovar o no hacerlo. A quienes innovaban se les consideraba mejores trabajadoras, igual ascendían, igual llegaban a poner su propia panadería. Una entre mil. Pero no se machacaba a los 999 restantes con la tontuna irreal de «persigue tus sueños». Había cosas tangibles que perseguir.

El trabajo era una parte fundamental de la identidad individual, pero no significaba que fueras solo eso. El trabajo era para muchas personas un medio en el que había unas normas, podía ser un trabajo duro, muy duro, pero no era lo que se llama ahora un «trabajo precario».

Qué es esto del «trabajo precario». Una tomadura de pelo, un retroceso absoluto a un tiempo peor. El trabajo precario no es lo mismo que trabajar menos horas. Es un tipo de empleo en el que se trata al ser humano como un ser absolutamente prescindible. Richard Sennett, sociólogo, lo explicó bien en *La corrosión del carácter*. El neoliberalismo, bajo el manto «positivo» de la flexibilidad, el reciclaje, la innovación y el emprendimiento, lo que ha traído es trabajo poco cualificado y jornadas interminables para la mayoría. Un tipo de trabajo en el que se desecha la especialización y artesanía individuales y las trabajadoras se convierten en prescindibles. El carácter se corroe cuando sabes que eres prescindible y te lo recuerdan casi cada día.

En los años noventa surgieron empresas especializadas en despedir a las personas, para que no tuviera que hacerlo alguien cercano a los trabajadores. A las jóvenes ahora ni siquiera se las despide porque parten de empleos sin duración ni expectativas. Así lo ha dibujado la joven Bogdanska en su cómic *Esclavos del trabajo*. Nuevas palabras para la realidad más antigua, la explotación del

hombre por el hombre, y de la mujer también, de las capacidades humanas: «falsos autónomos», becarios eternos, *riders*, interinos, subcontratados, temporales, contratos de «cero horas», *crowdworkers*. El trabajo se ha
hecho flexible en diferentes sentidos y a cual peor. Eso sí,
tú tienes que estar siempre disponible.

Hoy se escriben ensayos sobre el inevitable fin del
trabajo para todos. El interrogante queda planteado para
vuestra generación: si el trabajo nos ha proporcionado
hasta ahora tanto autonomía como identidad y sentido,
¿cómo vais a estructurar estos valores en un mundo en
que no haya empleos, bien porque las máquinas nos sus-
tituyen o bien porque lo hacen seres humanos que trabajan como máquinas? El crecimiento económico no es
ya, dada la crisis ecológica, una solución. No queremos
consumir más porque el planeta se está destruyendo,
pero, si dejamos de consumir, también se pierden millones de puestos de trabajo. Hay que encontrar una solución razonable.

Una de las soluciones que se discute es una renta básica vital; de acuerdo, pero no sé si es posible construir
una vida con un salario escaso, no sé si satisface la necesidad humana de saberse autónoma, la necesidad humana
de sentirse necesaria. Sentirse necesaria es parte de la
energía que ha hecho que el mundo funcione, un motor
de nuestros actos.

La economía no es una ciencia exacta ni es un muro insalvable, no es ni mucho menos como la ley de gravitación universal. En el mundo de ayer, con un solo sueldo era posible mantener familias de entre cuatro y seis miembros, y no era una sociedad más rica. ¿Qué te parece? Era lo que se llamaba «clase media» y «clase trabajadora». Se trabajaba bastante, pero también se encontraba tiempo para hacer otras cosas. El fútbol y la Liga siempre han estado ahí.

Las filósofas contemplamos hoy con asombro un mundo en que los sueldos han bajado hasta el punto de que una generación superpreparada apenas puede mantenerse a sí misma. Las chicas lo tenéis peor que los chicos, pero la precariedad os afecta a todos y cada vez más. El nuevo capitalismo, el neoliberalismo, está degradando lo que ha sido una de las columnas vertebrales de nuestras vidas.

La autonomía es un valor especialmente valioso

Sapere Aude, «atrévete a pensar por ti misma». Este es el lema del pensamiento crítico de la humanidad. No es patrimonio de la cultura occidental, aunque esta sea una frase tomada de la Ilustración europea. El mundo moderno comienza cuando el ser humano deja de pensar algo porque sí, porque lo dice un libro sagrado o porque lo manda la tradición. A nivel personal, también vivimos sucesivos periodos de Ilustración, cuando dejamos de pensar algo porque lo dicen las madres, las amigas, la pareja o algún nuevo texto sagrado. Por supuesto, no creamos nuestras ideas, como no creamos nuestras neveras, las tomamos de diferentes tradiciones de pensamiento, pero serán *nuestras* porque las asumimos como resultado del proceso vital, no por imposición.

¿Puede haber autonomía intelectual, afectiva o moral, si no hay autonomía económica? ¿Qué sucede si pasan los años y tienes que seguir viviendo del dinero que gana tu madre, una amiga, una pareja? Piensa en lo que suele suceder cuando tu salario depende directamente de tu jefa: tiendes a darle la razón un poco más de la cuenta, a no ponerle en su sitio cuando se pasa o se lo merece. Si esto es así, imagínate qué efectos puede tener en tu carácter la dependencia económica de una persona con la que te unen también lazos afectivos.

El marxismo fue la filosofía que mejor explicó que era muy difícil desarrollar la autonomía personal desde la dependencia material. Por eso el marxismo mantuvo que todo el mundo tenía que trabajar. La trabajadora era la unidad mínima de la sociedad. Hoy, cuando he dado alguna conferencia, algunas chicas que buscan alternativas globales al sistema me han explicado que quizá para ellas la autonomía económica y la profesión no son tan importantes ni valiosas como lo fueron para las mujeres de mi generación. Me motivan a dar muchas vueltas a este tema, pero no acabo de ver cercana una solución. El retorno a una vida más comunitaria sí puede ser una solución a las necesidades humanas de trabajar para alimentarse, para sentir seguridad y sentirse necesaria. La interdependencia no es lo mismo que la dependencia. Las comunidades de los sesenta buscaron explorar esta vía y, al final, no tuvieron éxito, pero eran muy sexistas y eso lo deforma todo. Hoy en día las mujeres tenemos otra conciencia sobre cómo funcionan realmente las sociedades, y nuestra voz puede dar nuevo sentido a los proyectos comunitarios, anticipar problemas y conflictos que antes ni se sospechaban. Lo importante es saber qué condiciones objetivas necesitas para desarrollar un proyecto de vida y dar sentido a tu vida. Y no olvidar nunca que a menudo necesitamos estar rematadamente solas, sin que nadie invada nuestro espacio, ni siquiera nuestra madre, ni nuestras amigas, ni mucho menos «la comunidad». Lo dice incluso la Biblia: «Dejarás a tu padre y a tu madre y buscarás tu autonomía». (Nota: bueno, es una interpretación un poco libre de las Escrituras.)

La necesidad de autonomía y la doble verdad

La necesidad vital de autonomía no implica dejar de reconocer nuestra condición relacional. Nadie es absolutamente independiente. Las mujeres lo sabemos muy bien: nacemos y morimos *cuidables*. Como explica, entre otras, Almudena Hernando, la *fantasía* de la individualidad masculina ha reposado y reposa sobre los vínculos materiales que tejen las mujeres a su alrededor. Las necesidades de los chicos son primero cubiertas por amorosas madres y luego por comprensivas y amantes parejas, de tal forma que los hombres apenas se dan cuenta de lo poderosas que son esas necesidades, y se sienten independientes, autónomos, no necesitan a nadie, cuando en realidad tienen detrás un pequeño ejército de mujeres.

Imagina una araña que se desplaza de aquí para allá por una gran telaraña. Pues en una sociedad patriarcal las mujeres tejen y son al mismo tiempo la red tejida, mientras que los varones son las arañas que se desplazan de aquí para allá sin darse cuenta de cómo y por qué lo puede hacer. Como no tienen otro huevo que freír, van haciendo sus cosas, sus catedrales, sus coches, sus autovías o su colonia en Marte. De vez en cuando, se enfrentan a otras arañas y quedan destruidas muchas cosas, pero vuelve a iniciarse todo el proceso una y otra vez.

Nuestra identidad es relacional, pero nos tira mucho la autonomía. Sobre todo, Celia, cuando tenemos satisfecha la necesidad relacional; siempre llega un momento en que detestamos que decidan por nosotras algunos aspectos determinados de nuestra vida, detestamos que nos tutelen y que alguien se atreva a decirnos «que sabe mejor que nosotras» lo que nos conviene. Con esto no quiero decir que el tremendo y falaz individualismo actual sea un valor a preservar, pero la autonomía es, sin duda, uno de los aspectos más importantes de la vida. Recuerdo con horror cuando estaba leyendo por la noche en la cama, tan feliz, y llegaba mi padre y me apagaba la luz. «¡Nooo, un poco más!», suplicaba.

A veces resulta útil distinguir entre «autonomía» e «independencia». La autonomía es la capacidad de resolver tus necesidades básicas y dotarte de normas y valores, mientras que la independencia es la capacidad de sentirte bien sin la aprobación continua de las demás. Pero la realidad es que, en el tema que nos ocupa, podemos usar ambas palabras como sinónimos.

Quizá te extrañe lo que voy a contarte sobre la doble verdad. Durante miles de años se daba por sentado que las mujeres no éramos ni podíamos ser autónomas e independientes de los hombres. Esta creencia tenía una base objetiva que nadie puede cuestionar. Las mujeres, por ley, no tenían derecho a ser autónomas, así que dependían para muchas cosas de los hombres. Vivían en un estado permanente de minoría de edad. Depender era su obligación. Perdóname el vocabulario, pero ¡hay que joderse! Vives en un mundo en que te prohíben ganarte la vida y luego sentencian que no eres capaz de ganarte la vida. En fin, me tomo un lexatin, como tantas mujeres, para relajarme de tanto patriarcado y continúo.

La parte de la historia que no se ha contado es la de que los varones han dependido de las mujeres hasta un punto incomparable. Cuando tantos hombres declaran que no hubieran llegado a nada sin sus esposas, no es una galantería, es la pura verdad. Los hombres sabían hacer unas cosas y las mujeres otras; si en una pareja uno de los dos moría, el otro quedaba desvalido en un terreno. Él no sabría llevar la casa, ella no sabría conducir ni cambiar un grifo o una bombilla. Creo que, aun siendo esto verdad, da una falsa sensación de complementariedad. Porque se come 21 veces a la semana y un grifo se rompe cada cinco años, y porque ha existido el mito de «la viuda alegre», pero no viceversa. Los viudos casi siempre vuelven a casarse.

Déjame hacer un inciso: ¿verdaderamente se os dan a las chicas peor los aparatos técnicos que a los chicos o todo depende de cada persona? Mira, Celia, durante años y años me he reído de esto con mis estudiantes en clase después de discutir sobre este tema por grupos. El resultado siempre era el mismo, casi por unanimidad salía que los chicos eran mejores técnicos, aunque siempre algunas chicas protestaban. Ellos apelaban a sus conocimientos acerca de las motos, la mecánica o los videojuegos, y a una mayoría de matriculaciones de chicos en las ingenierías. Cuando ya habían ganado el debate, les ponía el ejemplo de una tecnología menos rentable que la informática, pero más universal y necesaria para la salud, que es donde todo comienza y termina, como estamos viendo claramente con esta pandemia. Una tecnología conocida como «poner la lavadora». Ningún chico de clase sabía poner una lavadora, y, es más, advertían de que les asaltaba una especie de bloqueo ancestral. Hombres hechos y derechos se bloquean ante una lavadora. Empiezas a explicarles que aquí va el detergente, aquí la lejía, aquí distingues los tejidos... y entonces se pierden. «Pero ¿cómo sé yo qué tipo de tejido es?» «Pues, hijo, lo miras en la etiqueta.» «Uf, me habías dicho que toda la información venía en la lavadora y no es cierto... ¿Es que hay cosas que se lavan en seco? Esto es una locura, nunca me haré con ello.»

Casi todo en la vida es como poner una lavadora.

¿Es posible que un casto varón que viene de programar en Linux, se agobie ante la idea de aprender a programar una simple lavadora? ¿Es increíble? No. Se trata del mismo bloqueo ancestral que puede existir ante la idea de cambiar la arandela del grifo o el aceite del coche. Hay mujeres que dicen no saber abrir una botella de vino. ¿Es posible vivir así? ¿Sin saber abrir una buena botella de vino tinto? En la vida muchas cosas consisten solo en arremangarse, y para hacerlo es bueno saber que las expectativas propias y ajenas determinan mucho el desarrollo correcto de nuestras capacidades.

Susie Orbach y Luise Eichenbaum, terapeutas, escribieron un libro con el endiablado título de *¿Qué quieren las mujeres?* Cansadas de escuchar siempre las mismas quejas en su consulta, se decidieron a interpretarlas. Llegaron a la conclusión de que el problema de las mujeres no era que fueran más dependientes que los hombres, sino justamente al contrario, *que no tenían de quien depender*. Que echaban la vista atrás y no había nadie en quien apoyarse. Para muchas de las cosas importantes de la vida buscaban el apoyo emocional de sus parejas y no lo encontraban. Ni apoyo para sus problemas, ni apoyo para sus profesiones ni para sus contradicciones. Ese tipo de soporte resulta crucial para desarrollar un proyecto de vida con una cierta paz y una cierta energía. Para hacerlo sin quemarte por el camino. Bien lo sabe quien lo ha tenido: «Tranquila, tú dedícate a tu libro, yo me ocupo de todo; si, además, me encanta, lo hago porque quiero, sencillamente me hace feliz». «¡Bieeen!» Las autoras descubrieron lo que siempre descubre el feminismo: ese mismo deseo de poder «depender» de alguien que las cuidara lo compartían miles y miles de mujeres; no es el problema personal de una, es el problema colectivo de todas.

Las mujeres no quieren un príncipe azul que les solucione la vida, no están buscando tan siquiera alguien más fuerte o más seguro que tome por ellas las decisiones. Ni siquiera están buscando alguien con más dinero que ellas. Lo que quieren las mujeres es poder delegar y lanzarse a vivir. Sin tener que «elegir» entre tejer las relaciones o un proyecto personal.

4

De la necesidad de reconocimiento, que no es lo mismo que «aprobación»

Una vez satisfechas las necesidades materiales básicas, nuestras acciones se encaminan a lograr un bien casi tan necesario como comer: *el reconocimiento*. Esta necesidad la expresó bien Jesús de Nazaret al afirmar que «No solo de pan vive el hombre...». Una gran verdad en siete palabras. Luego, aunque lo desconoces porque no has leído la Biblia, la frase continúa «... sino de toda palabra que sale de la boca de Dios». Vamos a quedarnos con lo de «toda palabra», es decir, con la idea de que vivimos también de las palabras.

A veces se dice que las palabras son banales, pues se las puede llevar el viento, y que lo importante son los hechos. Pero vamos a prestar atención a lo que dijo Jesús, de cuya boca salieron muchas agudezas. Las palabras tienen una importancia decisiva porque son uno de los canales por los que se expresa el valor que se reconoce a una persona. Las palabras de una profesora cuando nos reconoce un trabajo bien hecho pueden llenarnos de alegría. El reconocimiento adecuado de nuestro trabajo puede incluso cambiarnos el destino, orientarnos hacia una profesión u otra. También son necesarias las palabras que revelan el interés por *cómo te encuentras*. No hay nada sencillo en que alguien se interese por ti, es todo un gesto de reconocimiento. La experiencia de estar presente y que nadie te haga caso, que no se te escuche, que tu opinión no cuente, puede ser bastante devastadora. Es lo que motiva la queja de la ingrata experiencia de ser invisible.

En un sentido similar, hoy se habla de *injusticia epistémica* para resaltar el hecho de que hay palabras que valen por sí mismas, que son creídas al instante, y otras de las que todo el mundo duda. «¿Está segura de que cerró usted bien las piernas?», continúan preguntándoles los abogados a las mujeres que denuncian una violación. Las periodistas Rosa Márquez y Marta Jaenes acaban de publicar un libro con este título. ¿Por qué las palabras de algunas personas tienen tanta influencia y las de otras, efectivamente, se las lleva el viento? A nadie le gusta ser invisible, ni a las personas individuales ni a los colectivos. No se puede vivir bien sin el reconocimiento de los demás.

La escritora Siri Hustvedt ha dicho que sentir que te *valoran* es la parte más importante de la educación, pero vamos a ir más lejos: sentir que te reconocen es una condición necesaria de una vida buena.

El *reconocimiento* no es lo mismo que la aprobación. No significa estar pendiente de la opinión de los demás ni buscar la aceptación de un grupo de gente concreto. No podemos buscar la aprobación de todos los grupos ni de cada persona. De hecho, la búsqueda continua de aceptación está siendo un problema en estos tiempos de las redes sociales. Hasta las artistas más reconocidas están declarando que sufren con los comentarios dañinos de supuestos fans y tienen que aprender a encajarlos. La verdad es que no le puedes gustar a todo el mundo, y esto no debería implicar daño alguno, ni a la autoestima ni mucho menos a la dignidad humana.

El reconocimiento es, en realidad, un concepto filosófico que se relaciona con la justicia y nombra la necesidad de ser reconocidos en igualdad con el resto de los seres humanos, de no ser tratados como ontológicamente inferiores.

El filósofo Charles Taylor, en su obra sobre las políticas del reconocimiento, afirma que existe una relación esencial entre nuestra autoconciencia, quiénes somos con nuestras virtudes y defectos, y el reconocimiento o la ausencia de este por parte de los demás. De los demás cercanos y de los demás lejanos. Las mujeres y los varones no nacemos en el vacío, nacemos en un mundo que consta de pueblos, naciones, etnias, grupos, minorías, excluidos o «subalternos» y que disfrutan de diferentes grados de reconocimiento. No solo los bienes materiales están desigualmente distribuidos, también hay una distribución desigual del bien del reconocimiento o, en palabras de la filósofa Nancy Fraser, «una injusticia del reconocimiento».

La ausencia de reconocimiento se conceptualiza como *un tipo de opresión* que deforma y moldea la concepción que un ser humano tiene de sí mismo. El autodesprecio, interiorizado por la vía de un falso o negativo reconocimiento, es una de las formas de discriminación y opresión que incapacitan el desarrollo.

El feminismo siempre ha explorado cómo las mujeres hemos interiorizado una imagen despectiva de nosotras mismas, una imagen inferior de lo que realmente somos respecto a los hombres. El no reconocimiento puede mutilar nuestras expectativas y nuestra imagen de nosotras mismas, nuestra confianza en nosotras y en la vida. El reconocimiento es una necesidad humana vital.

Las personas no creamos el lenguaje necesario para nuestra autodefinición. Lo tomamos de la sociedad. En este sentido, alguna filosofía ha podido mantener que, en realidad, es el lenguaje el que nos habla. Hoy en día nos habla mucha gente desde la red y nos hablan los que nos rodean, especialmente los otros que son importantes para nosotros, los «otros significantes». Es una gran verdad que necesitamos a los otros para que nos valoren, es algo que no podemos hacer solos. Por mucho que te digan los libros de autoayuda que repitas frente al espejo lo lista, inteligente y guapa que eres, no hay modo de que te lo creas, necesitas escucharlo de los demás.

Por esta razón, el ser humano es también sociable por naturaleza. No ya para sobrevivir y protegerse como grupo frente a las inclemencias del entorno, sino por el placer que da el ser reconocidas. No, no por el placer: por la necesidad. Es distinto. Podemos terminar retocando un poco las palabras de la Biblia: «No solo de pan vive el hombre, sino de todo reconocimiento que sale de la boca de las otras personas».

Vamos a detenernos aquí, Celia, porque con estas reflexiones hemos llegado a un puerto. Una vez que tienes autonomía material o económica y reconocimiento ontológico, y que lo tienen también las personas con las que tratas, todo el resto del mundo, estaríamos en lo que podemos llamar «situación de igualdad». Entonces, y solo entonces, dispondríamos de las condiciones ideales de justicia para dedicarnos a buscar «nuestro propio bien», para defender el valor de la libre elección sin que esa defensa implique, tal y como sucede ahora, una mera justificación de la desigualdad humana.

La búsqueda del sentido de tu vida no puede hacerse a costa de los demás. Esto de perseguir los sueños está francamente bien, pero el material del que se hacen los sueños no puede rebasar los miles de millones de euros. Porque el precio inevitable de tanto dinero junto es que los sueños de muchos otros se ahoguen por el camino.

Vamos a pensar sobre la necesidad que tenemos de reconocimiento.

La familia, esa olvidada por la filosofía

Los filósofos apenas han teorizado sobre la familia como parte de la vida buena, pero sí como una parte básica del orden social, que es algo muy distinto. Han tendido a dar por supuesto que la familia es la base natural y necesaria de la sociedad, sobre la que se edifica el resto del orden cultural, económico y político. Sin embargo, una vez establecido esto, no había mucho más que decir: no era interesante hablar de la familia, ni pensarla. «La familia es la tierra que nos arraiga y permite crecer», se decía. Y ahí se acabó, sin más.

Los filósofos pensaron la familia solo para explicar

que las mujeres debían ocuparse de ella y luego cerrar la puerta con llave y esconderla bajo una piedra. Eso fue lo imprescindible para después elevarse a pensar en lo otro, en lo de más allá. La familia, según ellos, no ha tenido nada que ver con la realización *humana*.

Vamos a detenernos a aplicar una de nuestras reglas básicas, la hermenéutica de la sospecha. ¿Concuerda esto con tu experiencia? Parece que con la de ellos sí. Los hombres que se han autocalificado como «interesantes» y «geniales» han huido siempre de lo doméstico como de la peste. Con un matiz: se han rodeado siempre de personas que les resolvieran lo doméstico, aunque ellos no se han rebajado a fregar un plato, ni a lavarse la ropa interior. ¡Qué diablos, encontrar sentido a la vida es una exigente tarea!

A partir del siglo XIX el socialismo utópico iniciaba una tradición crítica bastante despiadada con la familia, a la que se llegó a denominar «establecimiento aislado de crianza». La familia pasaba casi al lado opuesto de la balanza y se convertía en un foco de desigualdad e infección, más que de sana crianza. La jaculatoria *Delenda est familia!*, es decir, «¡hay que destruir la familia!», pasaba a formar parte del imaginario progresista. Hoy en día, que la familia está mostrando su capacidad de adaptación a la diversidad humana y su capacidad de resistencia frente al culto al poder y al dinero, quizá estés preguntándote cómo alguien podía ¡querer destruir la familia! Era por varias razones, y todas con su fundamento.

La teoría crítica marxista identificó la familia como un foco de reproducción de la desigualdad económica. De alguna manera, la injusticia comienza desde el momento en que naces en una familia pobre. ¿Qué delito ha cometido un bebé para nacer en esas circunstancias y no en otras?

También en el siglo XIX las mujeres comenzaban a luchar por salir de las cuatro paredes de la familia patriarcal: no es que teorizaran sobre la familia como un mal en sí misma, pero empezaron a ver con claridad que era la jaula en la que habían sido encerradas. De ahí que la relación del feminismo con la familia haya sido siempre conflictiva. Fíjate qué paradoja, los hombres se sentían enjaulados en la familia y tendían a salir fuera en busca de realización y aventura, mientras que las mujeres estaban realmente enjauladas y ellos se negaban a comprenderlo. ¡Ay!, la doble verdad: estimados hombres, chicos jóvenes, quizá va siendo hora de ponerse un poco más en el lugar de las otras, que es el lugar de la posición moral.

En la década de los sesenta del siglo XX, con su devoción por el amor libre, las comunas y la experimentación con las drogas, el sexo y el rock and roll, la juventud puso la puntilla al idilio familiar. Las feministas llevaron su análisis al espacio de lo privado y descubrieron *el lado oculto de la familia*, es decir, situaciones de violencia y abuso tan determinantes como las carencias económicas. Eran desigualdades e injusticias que no tenían apenas nombre y que la filosofía había dejado fuera del espacio de reflexión. El eslogan de «lo personal es político» se convirtió en todo un nuevo paradigma de investigación. Por ahí las mujeres entramos en tropel en la escena filosófica. No se podía eludir nuestra existencia como ejército de cuidadoras de la especie. La filosofía feminista llegaba con nuevos interrogantes sobre la condición humana, aunque no tengas que examinarte de ellos en las pruebas de ingreso a la universidad.

Definitivamente, la familia no estaba de moda y se analizaban también otros focos de desigualdad, otras injusticias como las relacionadas con la salud mental. Se puede nacer en una familia con dinero, pero desestructurada por las adicciones, la violencia, los abusos. Se puede caer en una familia en que el narcisismo de los progenitores les incapacite para ver mucho más allá de ellos mismos. El marxismo, que a veces parece haberlo pensado todo, había acuñado el concepto de *injusticia divina* para referirse a estos otros tipos de desigualdades cuyas raíces no son solo de carácter económico.

La familia no estaba de moda, pero, mientras tanto, las amas de casa no dejaban de trabajar como esclavas para que sus miembros tuvieran la comida y la ropa listas y pudieran seguir estudiando tranquilamente los libros antisistema. Lo sé porque viví exactamente esta situación. Pertenezco a una generación que, mientras entonaba las canciones protesta y leía a Lidia Falcón, se dejaba servir por unas amas de casa a las que quizá miraba un poco desde arriba, dado su colaboracionismo patriarcal. Reconozco, querida Celia, que me arrepiento de haber sido una explotadora más de su jornada interminable, pero las niñas no podíamos seguir siendo las sirvientas de nuestros hermanos. Además, parecía que no había nada que aprender en la cocina y sí en los libros y en la música. Las chicas ya no soñábamos con ser madres y esposas. O, por primera vez en la historia, no tendríamos ninguna prisa por serlo.

El impulso del feminismo para estudiar la esfera de lo privado condujo a conceptualizar *la cara oculta de la familia*. Pero, paradójicamente, en la actualidad el impulso del feminismo está dotando a las mujeres de reconocimiento real y, con ello, también a la familia. Esta vez, de verdad, aunque hay muchas turbulencias.

LA FAMILIA COMO EL LUGAR DEL RECONOCIMIENTO PRIMERO, QUIZÁ NO EL MÁS IMPORTANTE

Una de las cosas más chocantes que me ha sucedido a lo largo de tantos años como profesora es que, de repente, mis estudiantes comenzaban a hablarme de sus familias, y que lo hacían en positivo. «Mi madre es que es genial.» «Sin mi madre no sé qué haría.» No eran solo mis estudiantes, también me sucedía si iba a cortarme el pelo o depilarme. Mi admirada Patri, de profesión esteticista, me contó que se había cortado el pelo en solidaridad con su madre, que estaba pasando un cáncer. Su pelo no era algo sin valor, ni mucho menos.

Tarde o temprano, una filósofa tenía que darse cuenta: ¿qué diablos había pasado? La familia había vuelto. Ya no estaba tan claro que fuera solo un foco de desigualdad económica y patriarcal, un foco de represión y transmisión de complejos varios. La generación de los sesenta se enfrentó a sus padres, pero no encontró una resistencia frontal en sus hijas. De repente, madres, hijas e hijos salían a cenar y viajaban juntos.

No todas somos madres, pero todas somos hijas. Es una condición universal de los seres humanos. Sean biológicas o adoptivas, estén vivas o muertas, las madres nos han traído al mundo y son la causa primera (¡un saludo, Aristóteles!) de que estemos hoy aquí. Alguien te ha llevado nueve meses dentro, no parece precisamente una trivialidad.

La familia, con toda su diversidad, es tan importante como que sin ella no estaríamos las dos aquí sospechando. Y no solo eso, hay una doble verdad que afecta a las mujeres y a ti no te puede dejar indiferente, porque hay que pensar lo que apenas ha sido pensado. Para las mujeres la familia no ha sido solo el lugar de la opresión, ha sido también el lugar en el que han disfrutado de una experiencia muy especial, la de ser madre. Ser madre es, sin duda, parte de la vida buena. El problema, que es grave, surge si ser madre es la única opción de vida posible y viene además en compañía de un paquete completo de falta de derechos y ninguneo total.

A veces, especialmente desde que naciste, he llegado a pensar que si las mujeres han aguantado lo que han aguantado durante miles de años ha sido por la enorme responsabilidad y la variedad de sentimientos que les deparaba ser madres. No a todas, claro, pero en general. Freud, un niño bien mimado, llegó a escribir que las mujeres encontraban su sitio en el mundo cuando tenían un hijo varón. Que, por fin, dejaban de saltar cual cabras tratando de imitar a los varones y aceptaban de buena gana su clara inferioridad respecto a ellos. Obviamente, este señor se equivocaba y era además un insolidario. Las mujeres estaban en las calles peleando por tener algo más que hijos varones y eso no conseguía despertar su interés.

La historia de nuestra opresión familiar está ahí, pero creo que no debe impedirnos valorar lo importantes que son los hijos para quienes los traen al mundo. La filosofía tiene que ocuparse de ello.

Para las mujeres madres que me rodean, los hijos son lo más valioso de su vida. Eso no quiere decir que sus trabajos dejen de ser la base de su vida. Francamente, cuando tienes un hijo, ya no te imaginas tu vida sin ese ser. Casi nadie elegiría morir por salvar su trabajo, pero casi todas lo haríamos por salvar a nuestros hijos. Sin dudarlo un segundo. No voy a tolerar que nos digan que eso es algo *natural en una madre*. Esto es fruto de una radical posición moral ante la vida.

Hoy muchas madres se animan a quejarse de que el bebé real no coincide con el *bebé imaginado*. Tal vez las mujeres debamos escuchar y confiar más en la experiencia de las otras, y no tanto en lo que leemos en revistas que están pensadas, ante todo, para hacer negocio. Incluso mi madre decía continuamente que tener hijos era «la esclavitud» y que éramos todos unos ingratos. Tenía tanta razón que ni siquiera le contestábamos. Estábamos muy ocupadas con lo nuestro.

¿De verdad esto del trabajazo que dan los hijos le ha podido coger por sorpresa a alguien? Será que al no haberlo leído en Spinoza o en Schopenhauer no hemos dado crédito a la palabra de las sencillas madres. Y cada una andamos descubriendo la rueda de nuevo. «Uy, ¡pero si los hijos son una esclavitud!» «Sí, hija, sí, pero son tan ricos...» Para demostrar que la rueda está descubierta, díscola Celia, escribo este libro.

Aun con la gracia que tienen los libros de mamás deso-
bedientes e insumisas, no lo dudes un momento, los hijos
formáis parte de la vida buena. No va a consistir todo en
viajar y cenar fuera, ¿verdad? Por eso siento una gran
rabia cuando escucho a mis jóvenes estudiantes decir que,
si las cosas siguen como hasta ahora, nunca podrán tener
hijos. Esto lo decían ya antes de la pandemia.

Estoy leyendo la autobiografía de una punki, Viv Albertine. Habla con una sinceridad impactante sobre su
vida, al igual que lo hace Laura Freixas en su libro *A mí
no me iba a pasar*. Estas dos mujeres coinciden en más de
una cosa, a pesar de sus raíces tan aparentemente distintas. Viv fue miembra de un grupo inglés y punki de chicas
en los ochenta y llegó un momento en su vida, con unos
treinta y siete años —justo mi edad cuando tú naciste—,
en que todo su ser se cerró en banda alrededor de un único deseo: tener una hija. Cuando veía a una embarazada
en la calle se ponía mala, cuando veía un carrito comprendía a los que secuestraban bebés. Le daban ganas de coger
uno y salir corriendo. Durante largos años, solo vivió
para alcanzar el objetivo de ser madre. Le costó años de
inseminaciones, casi murió en el intento. Al final, logró
tener una hija y lo dejó todo para criarla: así estuvo siete
años. Al poco de tener a su hija volvió a sangrar a chorro
limpio: era un cáncer de útero. Una nadería, nos cuenta,
frente a lo que había pasado en las clínicas de fertilidad;

además, ya tenía a su pequeña en brazos. Esto lo vivió Viv Albertine, que había sido okupa, novia de uno de The Clash, amiga de Sid Vicious. Ahora fíjate un poco más, su autobiografía se titula *Ropa música chicos*. Como ves, no salen los hijos en el título. Como pro de la filosofía, algo tengo que sospechar: o bien es un título comercial, para vender más libros, o bien tiene una conciencia un poco deformada de su propia existencia. El deseo y la realidad de ser madre debería figurar, al menos, a la par que su gusto por la ropa.

¿Comprendes a qué me refiero? A mí, francamente, a veces me cuesta comprender estos bandazos en la vida, eso de pasar de superalternativa a mamá y esposa a tiempo completo. Pero no se me ocurre juzgarla, y su historia nos sirve para comprender lo que puede llenar la vida una hija, especialmente durante los primeros años. Años en que, como dice mi amiga Milagros, te matas a trabajar, pero te dan mucho a cambio. Te devuelven un *reconocimiento* como nunca has soñado. ¿Sabes cómo te mira tu bebé? ¿Sabes cómo se ríe cuando haces el bobote? He visto a madres que, literalmente, son incapaces de apartar la vista de sus hijos. He visto un amor incomparable. Es una historia de amor y reconocimiento muy fuerte.

Yo también sostengo que es el amor más real, más auténtico. Pero eso no nos puede cegar. Recuerda siempre una cosa: hace más de doscientos años que las mujeres comenzaron a luchar por tener algo más que hijos, y aún no hemos parado. Los hijos nunca pueden ser el sentido de tu vida. Pueden convertirse en lo más valioso de tu vida, una vez que los tienes, pero no puedes poner esa carga en unos hombros tan pequeñitos. Además, las hijas deben irse y tú debes dejarlas partir, aunque nadie deja irse al sentido de su vida.

Por otro lado, es otra gran verdad que la mayoría de las mujeres sin hijos nunca los han echado de menos. Y se han ahorrado con ello una de las grandes fuentes de preocupación y sufrimiento, que decía el clásico. Ser madre tiene una parte bastante agónica: no es solo renunciar durante años a la vertiente dionisiaca de la vida, eso es lo de menos si no tienes hijos antes de los 35, el problema es el rumor de fondo constante que escucha cada madre en su oreja: «Qué tal estará, qué tal llegará, qué tal le tratarán, qué trabajo encontrará, qué pareja tendrá...». Si Rodrigo Díaz de Vivar, alias Mio Cid, ganó una batalla después de muerto, un ejército de madres se pregunta con temor: «¿Qué va a ser de mis hijos cuando yo haya muerto?». Esta preocupación maternal, que va más allá de la muerte, es lo que podríamos denominar *la insoportable pesadez del ser*. Sé que esta preocupación, este control, os crea unas sensaciones bastante insoportables. Estoy hablando de la familia porque es la primera realidad en que transcurren vuestras vidas y porque sin ella el mundo se habría extinguido. Pero no creo que sea fácil, ni mucho menos, ser una hija única nacida a principios del siglo XXI.

La familia es, sin embargo y a pesar de los pesares, una institución que ha llevado bien el paso del tiempo. Uno de sus puntos débiles procede de que se espera de ella un apoyo casi incondicional, y eso no es muy propio del ser humano. Uno de sus puntos más fuertes es que casi siempre puedes regresar a ella, aunque sea para descansar brevemente, y también el hecho de que, hoy por hoy, no se han encontrado alternativas razonables. Criarse en un internado puede ser una experiencia agradable, pero, aun en ese caso, siempre se tiene la referencia externa de la familia. A la familia se regresa en vacaciones, a descansar de lo que a veces cansa la vida, por tanta sociabilidad o tanta soledad. Peor que la familia es, al fin y al cabo, la distopía de *El cuento de la criada*. Fíjate, qué mal cuando apenas nacen bebés ¡y nos vuelven a someter!

Tú has nacido en un mundo en el que dos personas del mismo sexo pueden casarse y tener hijas o adoptarlas. Estoy viendo otra serie, es muy alegre, todo lo contrario de la anterior, se titula *Modern Family*. Te ríes, la verdad. Algo que me gusta mucho más que la edulcorada relación entre esas parejas edulcoradas y perfectas es la conflictiva relación entre hermanos. Esa es una de las relaciones más apasionantes y poco tratadas por la filosofía. No vamos a idealizar más las relaciones familiares. También está el lado oscuro de la familia. Saberlo es importante, ya te digo.

El lado oscuro de la familia

Las familias están compuestas de personas y en todas las relaciones humanas existen relaciones de poder, injusticias y otras calamidades que amenazan la vida buena. Eso también se narra en la Biblia. Adán y Eva, los primeros seres en la tierra, tuvieron dos hijos varones llamados Caín y Abel. La de estos hermanos es una historia de envidia y rivalidad, y al final uno mató al otro. Esta historia refleja un tipo de violencia que no podemos achacar al capitalismo ni al patriarcado, pero sí, acaso, reflexionar sobre el hecho de que son dos varones o sobre que los celos y la envidia prenden en las personas que tenemos más cerca. Y ¿hay algo más cercano que la familia?

En el tema de la familia, cualquier tiempo pasado fue peor. Cuando leo algunas páginas del Antiguo Testamento, de las tragedias griegas o de la historia medieval española también tiendo a besar el suelo al levantarme. Si Dios le ordenaba a un padre sacrificar un hijo o meter una hija en un burdel —sagrado, eso sí—, lo hacía sin más. El gran Shakespeare retrata un mundo en el que los reyes y los hijos de reyes se andan asesinando como si se tratara de *Juego de Tronos*. Hace varios siglos que las relaciones familiares se humanizaron y sus miembros dejaron de matarse. Pero, como bien sabes, quedó legitimada una violencia de puertas adentro, en el interior de las casas familiares.

El feminismo es la teoría crítica que más ha hecho por sacar a la luz la cara oculta de la familia en lo que respecta a la violencia y los abusos sexuales. La violencia contra las mujeres y las hijas y los hijos *de puertas adentro* ha sido una de las conductas más inmorales y al mismo tiempo más justificadas y minusvaloradas de la historia. Es un tema que he estudiado mucho y te digo que nuestra deuda con el feminismo es enorme. Piensa en lo mala que es la violencia de puertas afuera, pero que la ejerzan dentro de tu propia familia es devastador. ¿Por qué ha callado tanto la filosofía durante tanto tiempo?

La familia como institución ha sido capaz de adaptarse a muchos cambios, hasta que, finalmente, las ideas de igualdad y libertad han entrado a formar parte de esta esfera; aunque eso no significa que desaparezcan, ni mucho menos, todas las tensiones propias de las relaciones humanas. Sobre todo en una relación tan especial y única.

Para empezar, las relaciones entre madres e hijas son muy ambivalentes y, al igual que sucede en otros casos, tienen que evolucionar. Pero no en todas las relaciones sucede como aquí, que la evolución consiste en «matar» a la madre o al padre. Esto, aunque sea de forma metafórica, se trata del mayor destronamiento que se ha visto en la historia de la humanidad. Los hijos pasan de mirarnos con devoción a, si acaso, perdonarnos la vida. Ahora que la pena de muerte ha sido abolida, ¿no podíais, tal vez, plantearos sustituir la muerte por unos años en galeras? Pero la razón está con vosotros, en algún momento hay que romper una relación tan asimétrica. Las madres os hemos llevado dentro, os hemos convertido en el centro de nuestra vida durante meses y en uno de nuestros ejes para siempre. Piensa con la cabeza fría, es normal que sintamos que sois un poco nuestras. Sé que no es así y, aunque nos cuesta despegarnos, es nuestro deber y lo hacemos: os dejamos volar tal y como hicieron nuestras madres con nosotras. Aquí Hegel se equivocaba: las mujeres somos humanas y no siempre deseamos lo que debemos, pero nos aguantamos.

Simone de Beauvoir escribió cosas impactantes sobre la relación entre madre e hijas. Consideró como referente a madres cuya vida estaba centrada en la maternidad, pero sus observaciones son siempre tan agudas que siguen invitándonos a pensar. Para ella, la madre, por un lado, quiere que su hija sea feliz y vuele libre, y por otro, teme los peligros que le acechan por ser una mujer, ya que los conoce de primera mano. Y no sabe cómo enviarle el doble mensaje a su hija: créete un ser humano igual a los hombres, pero no olvides que eso no es cierto; o sé libre, pero ten mucho cuidado.

En las novelas actuales, cada vez están apareciendo más madres, aunque no todas son buenas. Está la madre controladora, que es un clásico, o las madres competidoras o envidiosas, que son las más dañinas. Los padres han tenido más literatura, los buenos y los malos, aunque, como estamos en el lado oscuro, solo señalo que el trauma del padre ausente es más que notable. También el trauma del padre autoritario, presente y tirano. El que se erige como «yo lo hago todo bien y tú, todo mal». *Carta al padre* de Kafka es un buen ejemplo. ¡Qué mala suerte, de verdad!

Resolver todas estas tensiones del hecho de ser hija forma parte del camino de la vida. El propio Luke Skywalker, nada menos que el andador de los cielos en *La guerra de las galaxias*, tuvo que dar muchas vueltas hasta encontrar a su padre, y para descubrir que es el malo de la película: «Soy tu padre». Pero hay también una película española, *Viaje alrededor del cuarto de mi madre*, que marca la diferencia entre esa épica masculina y la insignificancia femenina. ¡De insignificancia nada!, es una gran película en la que, al final, la madre le pregunta a la hija: «¿Estás lista?»; y ella contesta: «Creo que sí». Así de sencillo, las dos tienen que estar listas para saber que la vida no es fácil, pero es una aventura, para saber que se tienen, que siempre se tendrán y luego seguir cada una su propio camino.

Una última reflexión, y un apunte más, impaciente Celia. Las madres acabamos cansando, a veces mucho, porque somos las guardianas de la salud, el orden, la seguridad: come, duerme, estudia. Somos dignas representantes de la insoportable pesadez del ser. A veces me digo: «Hoy no le digas nada, que salga en tirantes con 11 °C». Pero, al final, una fuerza superior te arrastra y ya lo has dicho: «Llévate una chaqueta que hace frío». No sé si es la fuerza del bien o la fuerza del mal. «Llévate una chaqueta, que hace frío ahí fuera.» Si lo piensas, menuda frase. La escucho en muchas series policiacas: «Tengan cuidado ahí fuera». Nosotras empezamos a decirlo antes, pero cuánto mola la épica masculina.

La amistad, el placer del reconocimiento y mucho más

Los grandes filósofos sí han escrito, y mucho, sobre la amistad. La amistad es un clásico de la vida buena, por no decir «el clásico». Desde Aristóteles no hay autor que se precie que no incluya la amistad como uno de los elementos que hacen la vida más plena y feliz. El gran Aristóteles, que va camino de ser el autor más citado en este libro, le dedicó ni más ni menos que dos capítulos de su *Ética a Nicómaco*, un libro que fundó la ética. Una de las *Máximas capitales* de Epicuro dice: «De las cosas que la sabiduría adquiere para la bienaventuranza de la vida en general, la más grande es la posesión de amistad». Es un poco rebuscado, y viene a decir que para los sabios la amistad no es un medio sino un fin en sí misma.

A estas alturas, Celia, tan amiga de tus amigas, no te sorprenderá saber que para los filósofos, esos amantes de lo universal, la amistad es algo propio de varones. Este bien sublime no podría haber estado al alcance de las mujeres. Empezó tratando el tema, cómo no, nuestro estagirita preferido, y marcó tendencia para la posteridad. Los filósofos explicarían que las del gremio femenino tienen como profesión y destino competir por los hombres para el matrimonio, y al ser ellos siempre un bien escaso, esa necesaria rivalidad determinaría la imposible sororidad. Moraleja, nunca te fíes de una «amiga» que en realidad es una rival y viene a por tu novio. Toda esta morralla ha inundado el pensamiento conceptual, el mundo del arte y de la creación, y también las religiones. ¿Acaso salía la Virgen María de vinos con doce colegas? No, parece que vivió su vida sin amigas. Vamos a dejarlo aquí, que no me gusta criticar a la Virgen, al fin y al cabo es una hermana. O, bueno, una madre; da igual, es una de las nuestras.

Una vez trasegado este cáliz amargo hasta el final, y sabiendo que mucho de lo que ellos dijeron lo tienes que mover y recolocar en su sitio, podemos decir que la amistad entre mujeres, esa red de apoyo que vas creando con los años, es una de las cosas grandes y necesarias de la vida.

Siempre me ha gustado el tenis y hasta quise ponerte el nombre de Martina por la gran Navrátilová. Cuando ella jugaba, yo era muy joven y teníamos que aguantar que nos dijeran que no era una mujer, que era un «tío». Aún hay gente que sigue pensando que, cuando una mujer es muy buena en algo, es directamente *un tío, un máquina*. Navrátilová tuvo una gran rivalidad y una gran camaradería con otra tenista, la muy resistente Chris Evert, pero de esta relación entre mujeres nunca oigo hablar a nadie. Las amistades femeninas sí se han perdido como «lágrimas en la lluvia», pero, tranquilo, replicante, estas sí que las vamos a rescatar.

La amistad es importante porque las amigas nos protegen en el patio del colegio, porque con ellas abrimos el corazón y el alma de par en par. Creo que nunca se abre el alma de la manera que se hace ante una o varias amigas. Les mostramos nuestros complejos: «Estoy gorda», «Estoy fatal», «Todo lo hago mal», «Nadie me quiere ni me querrá». Y ahí están nuestras amigas para decirnos con mucha claridad una sola cosa: «Tú no eres un trozo de carne, no eres un cuerpo». Esto es muy importante, ellas nos dicen siempre: «Tú eres un todo». ¡Otra cerveza, camarera, ¡por favor!

La amistad es importante porque nos *reconoce* tal y como somos. Las amigas no nos dan su aprobación, nos reconocen, sin más. Esto hace que las amigas sean imprescindibles. Por una cuestión de química elemental, nuestras amigas de la primera infancia y otras que incorporamos por el camino no tienen por qué coincidir ideológicamente con nosotras. No sé si es que soy más tolerante que la media, pero, de acuerdo con mi experiencia, la amistad es cosa de química, casi rozando el misterio. Lo que sucede es que, según vamos cumpliendo años, las nuevas amigas las vamos encontrando en un medio ideológico afín, preseleccionado. Pero luego lo que funciona es la química, qué cosas tiene la vida.

La amistad es importante porque pocas veces te ríes tanto como con las amigas. Es una risa total que comienza en clase, en el colegio, y no cambia con la edad. A las mujeres, hijas de Hera, nos pesa mucho la vida, y con las amigas recuperamos la levedad del Ser. Las alas. Las amigas nos dicen: «Eso que te oprime el corazón no es para tanto», «Deja a esa persona, pasa de ella», «No te preocupes tanto por tus hijas, ya encontrarán su camino. Si tú lo has encontrado, que no hay por dónde cogerte, ¿por qué no van a encontrarlo ellas?».

Ahora te voy a decir que no todas las amistades son

para siempre. Y eso no tiene que convertirse en una tragedia. Hay amistades de verano, las haces en un campamento, en un curso de inglés o en un curso del trabajo y son maravillosas mientras duran. Cuando se acaba el contexto se va acabando también esa intensa, pero breve, amistad. Lo mismo sucede con las amigas de baile, son amigas para bailar. El recuerdo permanece, bendito Parménides.

Como ha salido el tema de la esencia, me gustaría decirte que también están las amistades que no se ven nunca. Un día ya lejano mi madre me dijo que una tal Ana y ella misma se querían muchísimo, y que por eso llevaba yo su nombre. Como aún era pequeña y siempre iba a su vera, me di cuenta de que no se veían nunca y así se lo hice saber. Mi madre me dijo, con una rotundidad excepcional, que eso era lo de menos y se debía a que andaban muy ocupadas criando niñas. Que ellas eran amigas de verdad. Ahora lo comprendo, hay amigas que van siempre contigo, pero dentro. Habrá que reflexionar sobre el idealismo filosófico: «No vayas fuera, la verdad habita dentro»; en latín: *Noli foras ire, in interiore homine habitat veritas*. Cierta verdad habita dentro.

Lo bueno de la amistad es esta ligereza que nos da. La amistad es, sin duda, una parte esencial de la vida buena, pero no creo que debamos buscar el sentido de la vida en la relación de amistad. Es mejor buscar en ella la alegría de ser y existir. Cuando hemos aprendido esto y hemos superado la versión infantil de «la mejor amiga» es cuando podemos disfrutar realmente de esta maravillosa relación. El sentido de la vida tiene que estar en el lugar donde puedas apoyarte si las personas que te rodean fallan o faltan, cuando estás sola en tu cuarto y te vas a la cama.

También es maravilloso, y muy importante, cuando somos capaces de romper las relaciones que parecían de amistad, pero no lo eran.

El lado oscuro de la amistad: la utilización y el engaño

Decíamos que la filosofía se fija a veces en lo obvio, en lo que nos rodea, y por eso mismo no llega a hacerse explícito. Mucho tiempo se ha tardado en hacer explícito y poder mirar de frente la violencia de puertas adentro, el lado oscuro de las relaciones personales. En el mundo de anteayer nadie se atrevía a hablar mal de la familia, era un tabú. Y ahora da la impresión de que casi nadie quiere o se atreve a escribir mal de la amistad. Digo «a escribir» porque hablar mal de las amistades, desahogarse de sus abandonos y patadas, de sus agresiones, parece una de las pasiones que nutren las conversaciones en el metro y en los bares. Cuando tanta gente nos cuenta su vida a grito pelado mientras habla por el móvil, a menudo el tema gira sobre la crítica a alguien que se supone cercano. «Es una egoísta, va a lo suyo; solo le interesa quedar bien, pero cómo consigue engañar a tanta gente», quien habla se autodefine como la buena, porque siempre somos la buena en nuestra película.

El maltrato de las iguales es una de las mayores fuentes de desamparo y desolación cuando eres muy joven, y también una de las experiencias más amargas cuando eres adulta. Al igual que sucede en las separaciones y divorcios, muchas amistades se terminan rompiendo. *Que la filosofía no haya reparado en los problemas de la amistad, de la traición*, que los filósofos la hayan idealizado tanto, es algo que cada día me sorprende más. Quienes nos traicionan no son las enemigas, son las amigas. En la ruptura se puede terminar descubriendo que, en el fondo, en la relación te había dominado una ceguera respecto a quien estaba contigo y por qué. Eras sencillamente un medio para un fin determinado. Y es que hay gente que engaña muy bien, a ti y al resto. Son esas personas a las que ahora se les llama «tóxicas». También es cierto que a veces caemos en una especie de ceguera voluntaria. Pero más cierto es que hay gente que engaña muy bien. Está todo escrito en los clásicos, Celia, y dentro de poco en las clásicas.

Uno de los pasos decisivos hacia lo que se llama «hacerse mayor», que supone madurar o correr la cortina y ver la trastienda de la vida, fue cuando me enteré de que dos políticos famosos por su buen rollo, en realidad no se soportaban desde hacía años. En los mítines uno entraba cuando el otro salía y a veces ni se saludaban. Te haces mayor cuando te vas dando cuenta de que a menudo las cosas no son lo que parecen. Y esto es, en realidad, la filosofía, encontrar lo que *es* debajo de lo que aparenta ser. Sócrates dijo aquello de «conócete a ti misma», pues ya es hora de ponernos en modo oráculo y añadir «conoce a quienes te rodean».

A veces, mientras escribo, idolatrada hija mía, siento como si estuviera haciendo espóiler a la vida; contándote cosas que deberías descubrir por ti misma y, sobre todo, cosas negativas que bien pueden dar al traste con tus sueños y tus ilusiones. Pero luego pienso que a las mujeres nos han pedido demasiadas veces que miráramos a otro lado, que calláramos, que nos hiciéramos las tontas. Eso es, en realidad, lo que le dijo Telémaco a su madre: «Madre, calla, no te atrevas a decir lo que todo el mundo sabe».

Un reconocimiento especial: el amor de pareja

El amor es una de las cosas grandes de la vida, y es uno de los temas centrales del mundo del arte y la creación. Unas veces, para celebrarlo y dar gracias a la vida por haberlo encontrado; otras, para cantar las penas derivadas de su pérdida: la tristeza por el lento deterioro de una relación, o el intenso dolor que causan el abandono, el engaño y la traición. Según la letra de muchas canciones, el amor es capaz de sanar al instante los males de una vida, o al contrario, de vaciarla y destruirla. Un ejemplo entre miles es la canción *La quiero a morir*: «Podéis destrozar todo aquello que veis, / porque ella de un soplo lo vuelve a crear / como si nada, como si nada. / La quiero a morir». El amor aparece tanto como un escudo protector frente a los otros que como un potente motor para desplegar nuestra individualidad.

Sin embargo, hoy el amor está en crisis, cada día aparecen nuevos libros y reportajes que proclaman el fin del amor, o el fin del amor tal y como lo hemos conocido hasta ahora. Son obras que abordan el final del amor como un hecho, de forma descriptiva y objetiva, pero también se posicionan a favor o en contra de esta muerte anunciada. El concepto de «fin del amor» tiene sus defensoras y sus detractoras. Hay que pensarlo con detenimiento y orientarse en el tema. Porque fíjate, Celia, si el trabajo y la vocación, dos pilares clásicos del sentido de la vida, están en crisis y lo estuviera también el amor, las condiciones de la vida buena estarían perdiendo dos de sus anclajes más sólidos, estaríamos adentrándonos en una nueva realidad humana.

Para enfocar el lugar del amor en nuestras vidas vamos a retomar el tema del reconocimiento. Si estamos de acuerdo en que *el reconocimiento* es una de las necesidades humanas básicas, tal vez podemos comenzar por pensar *el amor* como un tipo de reconocimiento específico. Es un reconocimiento muy dulce y explosivo cuando surge, por la mezcla de sensaciones físicas y mentales que arranca y en las que sumerge a quienes se han «reconocido». Esto deberíamos preguntárnoslo con radicalidad: ¿cómo es posible que, según se acerca una persona, experimentemos una turbación notable? Esa turbación puede conducir al nerviosismo, al tartamudeo, al olvido momentáneo del resto del mundo y a un apego casi inmediato.

Otra pregunta que mueve al asombro es: ¿cómo es posible que una persona desconocida pase en muy poco tiempo a ser esencial en nuestra vida, a ocupar nuestros pensamientos, un lugar en nuestra casa; es más, en nuestra cama? Lo accidental —como sabes, porque también lo dijo el inevitable Aristóteles— es aquello de lo que podemos prescindir. De lo esencial no. Encontramos una persona, en la pura calle, y ya no querríamos prescindir de ella. Se ha convertido en una parte esencial de nuestra vida.

Del amor se dice que puede durar una noche, tres o treinta años. Verdaderamente, pero el amor que dura un día o unas vacaciones no será el objeto de nuestra reflexión. Es maravilloso, sin duda, un recuerdo inmutable, pero tiene más relevancia artística que filosófica. Se puede comparar con una amistad de las que dura el tiempo de un viaje en tren o un curso de verano. A menudo, a esas personas casi desconocidas les contamos nuestra vida entera, incluso partes secretas de ella, pero no es esa amistad la materia de reflexión filosófica. La filosofía no es como la poesía o la novela. Su objeto no son los acontecimientos de una noche de verano, son los que tienen afán de permanencia, de cierta eternidad. Por mucho que la razón nos diga que la vida humana es fugaz e insignificante, una brizna en medio de la nada, ahí está erre que erre la filosofía, acarreando piedras, acarreando agua para continuar regando el jardín, el jardín de Epicuro.

Lo que nos interesa es reflexionar sobre el significado, sobre el valor de una decisión que cambia nuestra existencia, la de quedar con alguien para compartir un proyecto de vida. Queremos reflexionar sobre «el amor» como concepto que implica un reconocimiento casi incondicional del otro y que busca la reciprocidad. Este amor comporta una promesa de reconocimiento y soporte a largo plazo. «En la salud y en la enfermedad haréis frente juntos a las maravillas y a las angustias de la vida», esto es más o menos lo que les leen a las personas cuando deciden casarse y celebrar que cuentan con alguien para encarar la vida. Tener una pareja es, además, contar con un testigo permanente de tu propia vida. Esto no se puede infravalorar, es bastante valioso.

Tengo que insistir en que «el reconocimiento» no es sinónimo de «la aprobación». Es casi lo contrario. Reconocer a alguien implica aceptarlo como un ser humano igual que tú, con las cosas buenas, las malas y las que te ponen del hígado. Quien reconoce, no está aprobando y desaprobando continuamente a la persona, acción que se realiza casi siempre desde la superioridad. También puede hacerse desde un sentimiento de inferioridad, pero qué cansadas son las personas que están siempre juzgando.

El amor como reconocimiento recíproco tiende a atenuar la intensa necesidad de aprobación, por parte de los otros, que tiene el ser humano. Necesidad que es aún mayor en las mujeres, por el déficit ontológico que arrastramos en las sociedades patriarcales. Que una persona te brinde un reconocimiento tan fuerte, «Te quiero», tiende a neutralizar la necesidad de satisfacer lo que Amelia Valcárcel denomina «la ley del agrado». Esto sucede, sobre todo, en los inicios de la relación, pero puede alargarse en el tiempo. Es como si pudieras decir al resto, «*Ciao*, ya no dependo tanto de vuestras llamadas y vuestros juicios». Por eso, cuando nos embarcamos en una relación que se proyecta hacia el futuro, la sensación no es solo de comienzo sino también de meta o llegada, como de haber llegado a un puerto. Por eso, tantas películas acaban ahí y aparecen unas palabras: *The End*. Y nos levantamos tan contentas mientras se encienden las luces porque les hemos dejado bien instalados en la vida. Y, sobre todo, porque ya pueden comenzar a hacer algo distinto a buscar pareja.

El caso es que las cosas no están resultando así de sencillas. El hecho de que la realidad no es una película tendríamos que saberlo, la vida siempre continúa, es más bien como una serie. Y cada temporada es distinta. Lo que creíamos destinado a perdurar, termina.

¿ESTÁ EL AMOR EN CRISIS? ¿SE ESTÁ ABRIENDO UN ABISMO ENTRE CHICAS Y CHICOS?

El amor está en crisis desde hace más de un siglo y de dos, tal vez desde que las mujeres comenzaron a plantearse lo que esperaban de los hombres y se quedaron con la impresión de que les estaban tomando el pelo. Todas conocemos parejas que tienen relaciones buenas, que esto les ayuda a estructurar sus vidas y encuentran un apoyo imprescindible cuando la vida nos da sus palos. Y, sin embargo, no es menos cierto que hay un desencuentro real entre chicas y chicos, que o no llegan a encontrarse o buscan cosas tan distintas en las relaciones que van de frustración en frustración. También hay cada vez más divorcios entre las personas mayores. Por otro lado, cada vez son más las jóvenes que buscan el amor en personas de su mismo sexo. Están haciendo buenas las palabras de John Stuart Mill, «la diferencia atrae, pero lo que retiene es la semejanza».

El amor se metamorfosea, aunque no puede decirse que la gente deje de buscarlo. Florecen las plataformas y los programas de citas.

Un libro sobre el amor que ha tenido mucho éxito es *Amor líquido*. Su autor, Zygmunt Bauman, es conocido por caracterizar la sociedad actual como una «sociedad líquida», en la que el neoliberalismo, la posmodernidad y las redes han traído consigo un individualismo radical. Las relaciones sólidas, estables y de compromiso han sido sustituidas por lo que denomina «conexiones». Las conexiones triunfan porque no generan miedo a sufrir decepciones con el otro, ni miedo a perder la independencia; también por la percepción del otro como un bien de consumo, una mercancía. Estaríamos en una sociedad en que prevalece la cantidad sobre la calidad, y las relaciones devienen superficiales y sustituibles.

Si en el apartado anterior vimos que ciertas características del neoliberalismo, como la fragmentación, la flexibilidad, la diversidad y el consumismo, habían asolado los empleos y generado precariedad y dependencia, ahora estas mismas características estarían haciendo pedazos el amor. El pedazo o el trozo, la dispersión y la fluidez, como ontología propia de la posmodernidad termina invadiendo la vida cotidiana y los sentimientos. Ya no existe el amor sólido; el amor se está disolviendo cual iceberg y está pasando también a estado líquido.

Si aceptamos este estado de cosas, la pregunta que surge es: ¿tenemos motivos para alegrarnos de que el amor haya pasado a estado líquido o es algo que resta apoyo, seguridad e intensidad a nuestros proyectos de vida? Las respuestas están divididas. Para algunas autoras, esta liquidez del amor es positiva, para otros no.

Un argumento mantiene que en el mundo hay demasiadas personas interesantes y no es razonable renunciar a todas las posibles relaciones amorosas con ellas por una sola. Se ve como un desperdicio. Si somos capaces de tener varias amigas, ¿por qué no varias parejas?

Según el argumento contrario, el desperdicio consiste en andar consumiendo personas y relaciones como si de objetos de un supermercado se tratara. Al final, concluyen, todo se queda en lo superficial y cada relación termina siendo una mera repetición de la anterior. Además, he escuchado a las jóvenes preguntarse con sorna que dónde están todas esas personas interesantes, pues las que ellas conocen están siendo abducidas por las redes, los videojuegos y la pornografía.

Para algunas autoras, el problema con el amor radica

en que estamos pidiendo demasiado a las relaciones de pareja y hay que ser realista y aceptar sus límites; lo mejor para evitar desengaños es aceptar que las relaciones amorosas son breves y variadas, y las relaciones estables pueden compartirse con varias personas y ser relaciones abiertas o poliamorosas.

Cada día hay más libros y reportajes que abordan la búsqueda de nuevas formas de relaciones fuera del marco de las relaciones monógamas y estables. La no monogamia fluye en un abanico de nuevas designaciones: relaciones poliamorosas, anarquismo relacional, parejas abiertas, *swingers*, follamigas. La proliferación de tantas etiquetas genera cierto estado de cachondeo sobre el tema, pero también revela la permanente búsqueda de algo relacionado con el amor en nuestras vidas.

Desde otros enfoques, lo que está determinando el fin de las relaciones estables y duraderas es el proceso agudo de *peterpanismo*, en jóvenes y no tan jóvenes. El síndrome de Peter Pan es el deseo de no crecer, de no hacerse nunca adulto, donde se entiende por «adulto» el hecho de asumir responsabilidades concretas y a largo plazo. Este proceso estaría viéndose agravado por la precariedad laboral y también por la idealización continua de la juventud como el estado perfecto de la vida. La perra por continuar sintiéndose joven a los cincuenta no ayuda a tomar decisiones de largo alcance.

Para otras personas, finalmente, lo importante es que el nuevo estado amoroso ha dejado atrás la falsa y dañina ilusión platónica de la media naranja. No hay una persona ideal para nosotras, no hay nadie por ahí dando vueltas hasta encontrarnos, sino que lo único real es el tipo de vínculo especial que determinamos tener con una persona. Si nos desviamos del vínculo ante las primeras dificultades, no es ninguna tragedia, no viviremos tal vez los placeres de las relaciones largas y duraderas pero tampoco sus penalidades.

Ya ves, Celia, que conviven muchos enfoques diferentes sobre el amor. Pero, espera, ¡que estoy reflexionando sobre el amor en abstracto! Va a ser cierto que el amor nos ciega. Me quito la venda y me pongo las gafas moradas. ¿Es el amor lo mismo para chicas y chicos, o existe aquí también una doble verdad?

Recurro a las sabias palabras de Marcela Lagarde cuando sostiene que las mujeres sentimos que hay una especie de *injusticia* en el amor. Que las mujeres sienten que dan demasiado o que no encuentran reciprocidad en las relaciones con los hombres. No cabe duda de que hay un problema de las mujeres con el amor. Coral Herrera ha titulado su libro *Mujeres que ya no sufren por amor*. Lo compran muchas chicas. Pero parece que, hoy por hoy, esto es más un deseo que una realidad. Profesoras de universidad y jóvenes escritoras como Towanda Rebels y

Marina Marroquí se unen para enviarnos desde un lado y otro el mensaje de que el amor no tiene por qué doler. Por el contrario, cuando leo a los pocos hombres que hablan abiertamente del amor, se permiten decir que *si no duele, no es amor*. No me refiero a los hombres que escriben sobre las nuevas masculinidades, a los hombres por la igualdad, me refiero a intelectuales y creadores que tienden a ignorar el feminismo. Un señor que escribe en la revista masculina *Icon* dice literalmente: «Debemos aceptar el peligro y el dolor. Sufrir el infierno es guay: es mejor que no sentir nada». Estamos en un momento en que estas palabras son una provocación y quien las escribe lo sabe. Pero representa a los hombres que no están dispuestos a ponerse en el lugar de las mujeres. Mientras escribe que «sufrir el infierno es guay», forma una familia con una modelo que aún no había nacido cuando él tenía ya una edad. Como no es tonto sino todo lo contrario —que los hombres son muy listos no lo dudes nunca—, lo hace explícito y escribe que se siente como un vampiro que chupa la sangre de la virgen para vivir más y mejor. Desde aquí te decimos: haz lo que quieras, hijo, sé un vampiro o un viejo verde, pero no te toleres trivializar con que «sufrir el infierno es guay». Un respeto al sufrimiento.

Las relaciones humanas tienen un lado difícil y el amor también, pero ¿en qué sentido debería doler? Hay una forma en la que todo amor duele, en el sentido de que cualquier dolor de la otra parte te lleva a sufrir. Que tiene mala salud, pues sufres; que le suspenden un examen, sufres. Lo pasas mal porque tu pareja lo pasa mal y no puedes hacer nada para evitarlo. Pero me temo que no se refieren a eso quienes mantienen frívolamente que el amor tiene que doler.

Escuchamos una queja continua respecto al amor y es la queja de las chicas. Quisiera dejar muy claro que no suele ser una queja que provenga del mito del amor romántico. No es que un día creyeran que llegaría un príncipe azul a sus vidas y luego se hayan visto decepcionadas; no es que creyeran que el amor lo puede todo y luego hayan visto con cierta amargura que no es así. No. Escucho una queja muy bien expresada y bien fundamentada por parte de jóvenes que han pensado, de forma totalmente racional, que compartir la vida con un buen compañero la haría razonablemente mejor. Que es algo bueno y deseable regresar a casa del trabajo y encontrar a alguien con quien comentar la jornada. Con quien meterse bajo las mantas y ver una buena película o hacer planes o lo que sea. Este es *el argumento del compañero* a favor de la pareja. Leo muchas novelas y ensayos en los que las chicas heterosexuales no encuentran un compañero, chicas que entran, salen y quedan, pero ninguno acaba de llenar sus expectativas.

Y, sin embargo, hablo con los chicos y no escucho esta

queja. No me dicen «es que me he llevado muchas decepciones con las chicas reales», no acabo de encontrar una compañera. Tampoco veo en las librerías títulos como *Hombres que aman demasiado, Hombres que ya no sufren cuando les dejan*. De los hombres, escucho más a menudo otro tipo de quejas, sobre todo una queja concreta: que las chicas guapas pasan de ellos. En primero de carrera un profesor me contaba con desparpajo que se le acercaban siempre alumnas, pero nunca las guapas. No sé, igual tenía que compadecerle o reírme con complicidad. El problema era que las guapas, snif, pasaban de él.

Fíjate ahora, observadora Celia, en las series de Disney. No en las de princesas, sino en las que transcurren en los centros de secundaria. Esos lugares con las taquillas que son la envidia de nuestras estudiantes cargadas con mochila. En muchas sale el típico adolescente normalito, pero que está enamorado de la más guapa de la clase. Y el caso es que a menudo la consigue. En las series de Disney las chicas frikis se quejan de que las populares las tratan mal y los chicos frikis, de que las populares no les hacen caso. Pero, al final, las seducen. Más que «un hombre, un voto» parece que la nueva promesa de la democracia, vía cultura popular, es «un chico, una tía buena». ¿También es una promesa para ellas? No, porque ellas son precisamente las que tienen que aprender a valorar *el interior* de los muchachos. Ellas tienen todo un subgénero cinematográfico en el que las preparan para pasar del exterior, del físico, hasta unos extremos alucinantes: Quasimodo en *El jorobado de Notre Dame*, o la Bestia en *La Bella y la Bestia*; y en la vida real, el científico Stephen Hawking. Por su aspecto físico, cualquier chica diría que son antídotos contra la lujuria, pero sucede todo lo contrario, todos acaban ligando con una de las más bellas del lugar. ¿Nos toman el pelo? No lo dudes, bastante, tirando a mucho. No hay hombre lo suficientemente feo y malo como para no encontrar una chica joven y guapa que se enamore de él.

Otra queja que he escuchado de los chicos es la de que, a veces, se sienten como cajeros automáticos, es decir, que las chicas verdaderamente miran en su interior, pero más bien en el interior de su cartera. No me lo puedo creer, ¿es esto cierto? Si esto es así, habrá que cambiarlo, ¿no? ¿Por qué van a pagar la cena o las copas los chicos? La ausencia de reciprocidad siempre tiene consecuencias. Y, en todo caso, ¿qué nos puede revelar esta costumbre? ¿Se trata de un intercambio tácito de dinero por algo que tienen las chicas y se logra así? ¿Con qué y cómo se salda esa deuda? ¿Tiene esto que ver con el amor o ya nos estamos desviando del tema?

Demos un paso más. Si el amor parece a todas luces algo bueno y valioso, si el argumento del compañero es tan racional y seguramente deseable, ¿por qué tiene que estar en crisis? Además, justo ahora en que otros anclajes de nuestra vida han desaparecido. Ahora que ya no podemos sujetarnos en un trabajo sólido, en realizar una vocación, en administrar un buen salario. Dilecta Celia, ¿no sería estupendo detectar el problema, los obstáculos, y ver si es posible solucionarlos? ¿Es un problema estructural, afecta realmente de forma distinta a las chicas y los chicos?

Si el amor no tiene precio, y depende de nosotras cambiarlo, tenemos que intentar encontrar las raíces del desencuentro y, si nos place, atajarlas. No voy a decir que el amor puede llegar a ser un paraíso en la tierra —como pensaron algunas feministas que podrían llegar a ser las relaciones entre iguales, tanto lesbianas como heterosexuales—, pero sí que el amor puede ser una parte importante de la vida buena. Si conocemos estos obstáculos, tal vez los podamos empezar a minar. Como dicen las reglas del método, la mejor forma de picar y minar los cimientos es el conocimiento. Y hay que empezar por la historia. No te extrañará saber que esto de sufrir por amor no es cosa de hoy ni de ayer, sino de más atrás.

Vamos a picar piedra, como hacen en Minecraft, a construir otra palanca, a levantar esta otra piedra para ver qué hay debajo.

Del amor como el sentido de la vida al amor como algo valioso en la vida

El feminismo surgió con una conciencia muy aguda de que el amor no significaba lo mismo para las mujeres que para los hombres.

Si echamos la vista atrás, divisamos un panorama que debería llevarnos a zapatear de alegría sobre el suelo al levantarnos. A las mujeres nos tratan de anuméricas, pero sabemos mejor que nadie la importancia que pueden tener los números. Si cambiamos dos dígitos y amanecieras en 1821, tendrías que besar el suelo al levantarte, pero el suelo que pisaba cualquier señor que fuera diez, veinte o treinta años mayor que tú y quisiera llevarte al altar y «hacerte suya». Si amanecieras en 1921, tendrías más papeletas para disfrutar cierta reciprocidad relacional, pero eso dependería de la *buena voluntad* del hombre que tuvieras a tu lado. Un poco más tarde, las guerras de 1936 en España y de 1939 en Europa acabarían con los pasos dados en igualdad sexual para devolverte de cuajo a la mística de la feminidad. Tras la Segunda Guerra Mundial comenzó el fenómeno de retornar a las mujeres desde la esfera pública a las dulzuras del hogar. Las revistas femeninas conocieron un momento de esplendor y difundieron sin descanso la buena nueva. Si podías casarte con dieciocho años, mejor que esperar a los veinte, porque cada año que cumplías, la competencia aumentaba exponencialmente, ya que las más jóvenes entraban pisando fuerte. Máxime cuando a las chicas se las estaba expulsando de los trabajos asalariados. Los empleos eran de nuevo para nuestros valientes muchachos, y parece que las mujeres también. Otra vez el reposo del guerrero.

En el mercado matrimonial los hombres siempre han podido elegir, el mundo se les desplegaba como un gran centro comercial repleto de chicas casaderas. No me digas por qué, pero siempre parecía haber escasez de hombres, y las chicas apenas podían ganarse la vida casi de otra manera que no fuera en el matrimonio. Además, la mayoría deseaba fundar su propia familia, tener hijos, y esto solo era concebible dentro del matrimonio. Esta situación debía generar una tremenda inseguridad en las mujeres. Casarse, y casarse pronto, fue durante mucho tiempo la máxima aspiración que forjaba la vida y los sueños de las mujeres, era un mandato estructural. Salvo excepciones, no podían permitirse soñar otra cosa.

Las feministas fueron las primeras en revolverse juntas contra este destino de servidumbre. Por un lado, se levantaron contra los matrimonios basados en acuerdos económicos, acuerdos en que ellas eran el objeto negociado. Las hijas aparecían como una especie de carga de la que irse librando de boda en boda. Algunas comenzaron a rebelarse contra los matrimonios que les «convenían» y a sostener que querían casarse «por amor». Al mismo tiempo, otras muchas comenzaban a querer dar sentido a su vida a través de algo distinto al matrimonio y los hijos. Todas juntas forjarían los primeros movimientos feministas.

Cierta literatura de la época comenzó a reflejar el carácter trágico de la vida de las mujeres, al ser una vida solo relacional. Si tu esencia es ser madre y esposa, está claro que en ti misma no eres nada. Sin embargo, la literatura popular, la que aparecía por entregas en los diarios, ofrecía un consuelo algo distinto: adictivas novelas románticas; es decir, la posibilidad de vivir un romance maravilloso como forma de soportar la monotonía y el tedio de sus vidas. Si Don Quijote se volvió tarumba leyendo novelas de caballerías, ni te cuento cómo debieron de volverse las cabezas de las jóvenes lectoras del siglo xix. Tanto Ana Karenina como Madame Bovary soñaron con encontrar un amor apasionado como la salvación de sus vidas, amputadas por un matrimonio contraído en la primera juventud, y las dos (¡cuidado, espóiler!) acabaron suicidándose de una forma brutal. Estas dos grandes novelas fueron escritas por sendos varones. (Nota: a veces me pregunto si no podrían haber escrito otro final para *Ana Karenina* y para *Madame Bovary*; por ejemplo, que cayera en sus manos un panfleto sufragista titulado *¡Vamos, guerreras!*, lo leyeran y, con una sonrisa enigmática... Continuará.)

Sufragistas y comunistas tenían diferencias notables en materia de política y economía, pero coincidían casi totalmente en su análisis del amor. Así lo expresó muchas veces la gran teórica rusa Alexandra Kollontai. Cuando una joven comunista le confesó su preocupación porque le gustaban mucho los poemas de una poeta burguesa como era la gran Anna Ajmátova, la líder bolchevique no dudó en su respuesta. «Tranquila, camarada, la tuya no es una desviación grave, cuando surge el tema del amor desaparecen las contradicciones de clase y nos sentimos reflejadas las mujeres de todas las clases sociales, frente a los hombres compartimos problemas semejantes.» Para Kollontai, el problema que compartían era el de que los hombres no estaban realmente interesados en la individualidad de las mujeres. Salvo, en todo caso, el breve lapso de tiempo en que estaban muy enamorados. Al terminar ese periodo, terminaba también el interés. Por otro lado, reprochaba a sus compañeros bolcheviques que la teoría comunista les llevara a sostener que las chicas no tenían que «arreglarse», pero luego se fueran corriendo detrás de las mujeres empolvadas y con desviaciones burguesas. Todo esto puede parecer un poco anecdótico, pero revela el eterno descontento de las mujeres que buscaban reciprocidad en las relaciones con los hombres.

Kollontai sufrió mucho por amor, engaños y traiciones, y aunque teorizó la necesidad de que las relaciones fueran más abiertas en el futuro, a lo que denominó *amor camaradería*, un anticipo del poliamor, siempre mantuvo que esto solo sería posible en una sociedad comunista. Las desigualdades económicas propias de las sociedades capitalistas y patriarcales jugarían siempre en contra del amor libre de las mujeres trabajadoras. Por eso consideraba que era una solución individualista, que quizá le serviría a algunas mujeres, pero no podía recetarse como una fórmula buena para las mujeres en situación de precariedad económica. Algo que se desprende de las obras de Kollontai es que las mujeres individuales no tienen fuerza, no tienen poder suficiente para cambiar a los hombres. Así que lo mejor era que no pusieran demasiadas esperanzas en ello, y que lucharan por cambiar la estructura patriarcal y capitalista, así algún día sus descendientes —es decir, nosotras— podrían llegar a amar de forma libre. Las comunistas dieron muchas vueltas al tema del amor, para ellas era un problema estructural con una base material. La propia Kollontai definió a *la mujer nueva* como la mujer que había conseguido situar el amor en un lugar subordinado de su vida, que estaba volcada en dar sentido a su vida de otra manera, aunque no renunciara ni al amor ni al sexo.

Como ves, las mujeres hemos ido para delante y para atrás a lo largo del siglo xx. Ha habido épocas de fuertes retrocesos. Susan Faludi y María Ávila lo cuentan muy bien en sus libros sobre las continuas reacciones a los avances de las mujeres. Paradójicamente, dimos pasos hacia delante durante las dos guerras mundiales; al irse los hombres al frente, las mujeres se dieron cuenta de que podían conducir ambulancias, curar a los heridos, gestionar granjas y fábricas, y que les encantaba. Al terminar la guerra lloraron de alegría por el final de las bombas y por el regreso de sus hijos, maridos y hermanos, pero también de tristeza por el final de su autonomía. Para que se consolaran, las revistas femeninas a todo color comenzaron a explicarles la estrategia para pescar y cazar un buen hombre, estar siempre sexy para que no se fuera con otras y hornear bien las galletas. En tu país, más pobre, no había tantos colorines, pero se escribían textos como este: «La vida de toda mujer, a pesar de cuanto ella quiera simular —o disimular— no es más que un eterno deseo de encontrar a quien someterse. La dependencia voluntaria, la ofrenda de todos los minutos, de todos los deseos y las ilusiones es el estado más hermoso, es la absorción de todos los malos gérmenes —vanidad, egoísmo, frivolidades— por el amor». La cita, inspirada en el genial Ortega y Gasset, nuestro filósofo más universal, se encuentra en una revista publicada en 1944 y controlada por la Sección Femenina del partido Falange Española.

Una cosa está clara: las mujeres hace mucho tiempo que no estamos ahí. Ni siquiera tu abuela Isolina daba crédito alguno a un texto tan cursi y mamarracho como ese. Las mujeres nuevas llevan dos siglos largos caminando juntas, y cada vez somos más. Pero permanece la conciencia de que sigue habiendo una injusticia en el amor. Quizá el hombre nuevo está grogui en un palacio, preso de un hechizo que solo se rompe con un beso de amor. (Nota: auténtico, ¡ojo al dato!)

CANALLAS, TIPOS INFAMES Y MUJERIEGOS: LOS COLECCIONISTAS DE MUJERES

A todo esto, ¿qué piensan los chicos del amor? ¿Cómo sitúa nuestra cultura a los jóvenes respecto al amor de pareja? Ellos también han sido aleccionados durante siglos en relación con lo que pueden y deben esperar de sus relaciones con las mujeres.

No pienses que es un tema del que se han desentendido: casi todo lo que se ha escrito hasta el siglo XIX lo han escrito ellos, los hombres. Nuestras visiones sobre la mayoría de las cosas han sido escritas por ellos, y también, claro está, sobre nuestra concepción del amor. El amor de hombre y el amor de mujer han sido abordados según la visión de ellos, juez y parte en todos estos asuntos.

Los chicos han recibido también la idea, muy potente, de que el amor es algo valioso. Pero eso lo han acompañado de otro mensaje que era opuesto al que recibían las chicas: «Tranquilo, hijo, el amor llegará». Era el mensaje de que no había prisa alguna por formalizar el amor. Disfrutar del amor, sí, porque no hay prisa para casarse. Se lo he oído a tantas madres de ayer y hoy: «Tú, hijo, no tengas prisa con las chicas. Esa lagartona te quiere cazar». Las madres transmiten a los hijos varones la idea de que las chicas parece que van a por una aventura, pero, en realidad, les quieren echar un lazo y amarrarles para toda la vida. Algunas, más realistas, están muy contentas de que su hijo vaya con tal chica porque... le centra en los estudios. Y no añaden «... y le desahoga sexualmente», porque todavía hay cierta idea de lo que se puede pensar, pero no se debe decir en público.

Los chicos siguen recibiendo, de forma sutil o directa, el mensaje de que primero y antes de comprometerse han de hacer otras muchas cosas con distintos nombres. Uno de ellos es «vivir la vida», donde resulta que entra el «probar» mujeres. Probarlas de dos formas distintas, seduciéndolas o sacando la cartera para pagar a un grupo de mujeres que se denominan «mujeres públicas» o «prostitutas». Coleccionar mujeres siempre ha sido una prueba de virilidad. Quizá te preguntarás qué es eso de la virilidad. Es como la masculinidad, pero dicho en lenguaje culto.

El personaje de Don Juan ha sido uno de los mitos de

la masculinidad entendida como «coleccionismo de mujeres». Este es el ingenioso lema del señor Tenorio:

Un día para enamorarlas,
otro para conseguirlas,
uno para abandonarlas,
dos para sustituirlas
y una hora para olvidarlas.

Da rabia, ¿verdad? Por eso he puesto los versos en fila, para experimentar bien a fondo esta rabia. De ahí venimos.

Algunas te dirán: «Bueno, mujer, esto es cosa del pasado». Tienen parte de razón, pero no desprecies nunca la *huella* que miles de años de este tipo de mandato cultural ha dejado en los varones. Toda nuestra cultura ha tendido y tiende a legitimar que los hombres accedan a varias relaciones, que tengan incluso familias paralelas, que hombres mayores accedan a las chicas jóvenes, que vayan con prostitutas. Generaciones enteras de mujeres nos hemos criado con estos mensajes: «Los hombres son así y no los vas a cambiar. Además, a las chicas les gustan este tipo de hombres». ¡Vaya, qué coincidencia!

Ahí están, para demostrarlo, las canciones de los raperos, como el inevitable Maluma. «Ligo y ligo y vuelvo a ligar. Tengo cuatro chicas y soy guay», es una de sus melodías recurrentes. Y en los vídeos aparecen esas chicas un poco amontonadas, con sus cuerpos estupendos, indiferenciadas. A mí ya me aburren los videoclips con tantas chicas macizas, unas como atletas que lo mismo se retuercen por el suelo y reptan por paredes y barras, con sus culos macizos agitándose sin parar; otras, todo lo contrario, quietas como muertas vivientes, entre cansadas y lelas, con la boca entreabierta.

Que a mí me cansen no significa gran cosa; como dices, tienen millones y millones de seguidores. Es verdad. Creíamos que el feminismo había condenado al mujeriego al baúl de los recuerdos, pero ha vuelto con fuerza en el terreno de la música. El hombre mujeriego sigue vendiéndose como inevitable y maravilloso. Ahora se ha llenado además de matices de *hombre nuevo*: un chico grande travieso y molón que lo mismo se pone falda que nos presenta a su adorada abuelita. Vamos, que lo es todo porque fluye sin parar de una cosa a la otra: fluye de mujeriego a feminista, de falda a pantalón y de malo malote a concienciado social y político, de ateo a superreligioso.

Me descubro ante esta estrategia: cuando todo fluye, y todo es todo, resulta difícil desarrollar una visión crítica de nada, el lío nos ha colonizado la mente. Lo que nos parecía mal, se ha transmutado de repente en su contrario. ¿Por qué nos vamos a poner serias? A bailaaar...

Pero tal vez a las mujeres no les hayan gustado nunca los chicos malos ni mujeriegos. Es solo que vieron en sus ojos una promesa de cambio y se la creyeron. La gran Lucia Berlin, escritora alcohólica y madre que crio cuatro hijos, nos habla de niñas que se creen listísimas y son engañadas. ¿Habéis tenido tú y tus amigas una experiencia comparable o de este tipo? ¿Es algo que pertenece al pasado o sigue condicionando vuestras vidas? La escritora Marta Sanz lo narra como si fuera una constante que sigue marcando el presente de las mujeres: «Mujeres que beben porque las han mentido desde que eran niñas, no saben estar solas y, como tercas Bovarys, se creen los folletines que poco a poco las matan; algunas se ausentan de la vida, otras resoplan y se rehacen».

Seguramente, es muy importante que las mujeres no nos engañemos ni nos dejemos engañar, pero de ahí a renunciar al amor... ¿por qué? Sea con mujeres o sea con hombres, si una idea del amor forma parte de la vida buena, dime por qué habrías de renunciar a ello.

Vamos a pensar otra posibilidad, ¿y si el hombre mujeriego no ha sido nunca un hombre atractivo para las mujeres? Quizá eso de que a las chicas les gustan los malotes es una leyenda urbana o una leyenda filosófica. O igual les gustan, pero solo hasta los veinte años. No olvidemos que el mito de Don Juan fue pensado y escrito por hombres.

Lo cierto es que en nuestra cultura no solo ha existido el mito del Don Juan, el coleccionista de mujeres. También ha existido y existe el «mito» del hombre atractivo, fuerte y valiente, leal y comprometido. Si nos fijamos bien, este varón monógamo ha sido y es el protagonista de la mayor parte de las películas que no han sido arrasadas por el paso del tiempo. Fíjate, Celia, las obras clásicas, las que perduran, son las que han mostrado a mujeres y hombres que mantienen cierta reciprocidad en sus relaciones. Incluso en las sociedades más desiguales. Los personajes inolvidables del cine no parecen ser unos salidos de cuidado. Ni unos hombres que se están pajeando continuamente, que no saben estar sin su porno, que buscan páginas de «muy jóvenes, dieciocho años». En algunas de las series actuales de más éxito, también aparecen hombres monógamos. Suelen ser hombres enfrentados a situaciones complejas, extremas, donde está claro que solo el grupo puede hacer frente a la adversidad, aunque esto no les resta individualidad, como Rick, el de *Los muertos vivientes*, o como Snow, el de *Juego de Tronos*. Estos personajes no son peleles que pasan el día mirándose el ombligo, buscando chicas con las que follar como si fuera algo «transcendente», ni maridos aburridos que buscan dar un poco de salsa a su existencia porque sus hijas y la vida doméstica les aburren soberanamente. Y los personajes de ellas tienden a evolucionar.

¿El fin del amor? El gran negocio de las novelas románticas

Cada día se publican más libros y reportajes que anuncian el fin del amor tal y como lo conocemos. Si la noticia anuncia el fin del amor basado en la desigualdad y la falta de reciprocidad, es sin duda una de las mejores para la era pospandemia. Además, de esa noticia no se deduce el fin del amor, considerado como una de las relaciones importantes de la vida. Las relaciones pueden tomar diversas formas, pero parece deseable que haya algo más que *conexiones*. Las conexiones son maravillosas, pero no acabo de ver por qué habrían de sustituir a las relaciones sólidas y estables.

Una relación amorosa no puede depender solo de la forma, casi más decisivo puede ser el carácter y la calidad de las personas que formen parte de ella. Por eso, dulce Celia, ya sea en una relación de monogamia o poliamorosa, si hay algo importante es aprender a conocerte a ti misma y a las personas que te rodean. Una vez dicho esto, el problema real que percibo, *el gran problema*, sería que las jóvenes no os plantearais qué queréis del amor y juntas encontrarais una respuesta. En todo caso, a vosotras os corresponde decidir sobre el futuro del amor. (Nota: femenino inclusivo, los chicos están incluidos, por supuesto.)

Para terminar, déjame hacer una última reflexión sobre el amor que nos llevará directas al sexo. Una reflexión sobre el negocio de las novelas románticas.

Las novelas rosas y películas románticas son un negocio inagotable. Venden millones de libros, tal vez debería abandonar el ensayo crítico y rencoroso y pasarme al romance. Hoy en día ha surgido con fuerza la novela romántica erótica. Es erótica porque hay sexo dentro de la tremenda historia de amor. *Pretty Woman*, *Cincuenta sombras de Grey*, la saga de *Crepúsculo*; todas coinciden en que un señor millonario o un vampiro, que para el caso tampoco tiene problemas económicos, va a resolver de un plumazo la vida de una joven sin mayor interés conocido que ser joven, guapa y sin dinero. Al final, todas encuentran un hombre increíble.

Esos hombres son increíbles, pero no de forma metafórica: es que no hay hombres así en la realidad. Ellos son también guapos, pero uno es un vampiro; los otros dos son ejecutivos ultracapitalistas, otro tipo de chupasangres. El vampiro con dientes le dice a su enamorada: «Disculpa, pero ¿eres consciente de que si seguimos adelante con lo nuestro en un arrebato carnal te puedo convertir en un monstruo?». ¿Qué va a responder ella, ahora que estamos en el siglo XXI? Pues que adelante, que el amor todo lo compensa. El señor Grey le dice a la suya: «¿Ves esta fusta? Es para ti». Pues nada, vamos a pactar que el amor todo lo aguanta. Lo de *Pretty Woman* da más corte contarlo: es la historia de una «prostituta» que no ha ejercido ni va a ejercer nunca, pues con su extrema juventud, frescura e inocencia enamora a un multimillonario. (Nota: eso pasa la primera noche; sí, ya te digo, es una suerte.)

Las tres películas —ahora es mejor que te sientes— se debaten como feministas. ¡Me cago en mi madre!, que diría una *influencer*. En serio, Celia, ¿qué hemos hecho para que nos tomen tanto el pelo? Que sí, que yo también he visto *Pretty Woman* 114 veces; por lo que no paso es por que nos digan que es «feminista». El feminismo no tiene mucho que ver con las versiones modernas de Cenicienta. No, no vais a encontrar a un millonario que dé un giro insospechado a vuestra vida.

¿Quiénes compran y leen todas estas novelas románticas? Si son las chicas y las mujeres quienes las compran y devoran mayormente, ¿cómo es posible sostener, como se hace, que las jóvenes no desean ya relaciones comprometidas y estables? Más bien podríamos sostener que las chicas se han vuelto escépticas, muy escépticas, sobre el mito del amor romántico.

Hoy sabemos que el *mito* del amor romántico se ha utilizado para encubrir y legitimar la opresión de las mujeres. En palabras de Kate Millett, ha ejercido como una especie de opio para las mujeres. Entonces, parece lógico que, al dejar atrás el sometimiento, muchas jóvenes sientan que tienen también que repudiarlo. Hay más que razones para estar a la defensiva con el tema del amor; por ejemplo, el tema de la violencia contra las mujeres ha abierto cientos de telediarios. Recuerdo una amiga tuya que de pequeña dijo: «Pues yo de mayor no me voy a casar porque para que me maten...». Por otro lado, tu generación ha sido a menudo testigo de los divorcios de sus padres, del deterioro de las relaciones de quienes en su día se amaron. Estoy esperando leer más novelas de esa generación que ha vivido cómo lo que un día creyeron sólido se disolvía en el aire o en un juzgado. El caso es que razones no le faltan a tu generación para ser escépticas, bastante escépticas, con el tema del amor.

Hay jóvenes que se mofan de las películas románticas, tanto chicos como chicas, porque son duras y están de vuelta de todo. Una posibilidad que proponen esas películas como alternativa es la de pasar vosotras también a coleccionar hombres. Por supuesto que dan ganas, pero hay que encontrar muy atractivos a los hombres para empezar a coleccionarlos. Porque a nosotras no nos dan bonus extra. Para nosotras, un hombre es un hombre y nada más. No es un símbolo de otra cosa, ni de nuestro éxito profesional ni del tamaño de nuestro clítoris. Es una individualidad.

Sin embargo, dan ganas porque los discursos patriarcales fastidian mucho. Me explico: los hombres disponen aún de un recurso relativamente sencillo para hacer sentirse inferiores a las mujeres, para sembrar confusión y controlar tal vez su comportamiento. Consiste en señalar *que ellos pueden hacer cosas que nosotras no somos capaces de hacer*. Eso, obviamente, nos pone del hígado. Hay un ejemplo especialmente repugnante, cuando dicen que una llave que abre todas las cerraduras es muy valiosa, pero una cerradura que es abierta por cualquier llave no tiene valor. La llave de la que hablan es el pene y la cerradura es el *toto*. No te gusta el ejemplo, lo presiento, pues a mí tampoco. La idea que subyace es que una mujer «no es capaz» de tener muchas parejas amorosas y/o sexuales. Esto se dice desde la superioridad, porque las chicas, pobres infelices, tienden a la monogamia.

Lees esto y te dan ganas de montar un harén. El truco es elemental, un mero discurso de la superioridad, «no podéis hacer lo mismo que nosotros». Así te sacan de quicio y te puedes equivocar. Tú no puedes utilizar el mismo truco porque, al no pertenecer al sexo-género con poder estructural, no funciona. Tú no puedes chulear diciendo «Mira, yo puedo ser monógama y tú no», y que se haga una lectura positiva del texto. Como decía la gran Celia Amorós, «no resignifica quien quiere sino quien puede». Tenéis que lograr poder simbólico suficiente para universalizar vuestros valores.

Las jóvenes se enfrentan aquí a la misma contradicción que estamos analizando a lo largo del libro. Hay una doble verdad pululando por todos lados y todavía no habéis decidido cómo reaccionar. No digo de forma individual, sino colectivamente. No sé si es adecuado actuar por reacción. A las chicas, como es lógico, se les llevan los demonios de la rabia, porque siempre están a un tris de quedar abajo, si follan porque follan y si no lo hacen porque no lo hacen. Parece que nunca acabamos de hacer bien las cosas. Siempre seguimos ahí, arrastrando nuestro déficit de legitimidad.

Las mujeres están buscando hoy el amor en otras mujeres. Lo han hecho siempre, aunque con muchas dificultades. Sin embargo, en la actualidad, que el matrimonio entre nosotras es legal, hay una creciente aceptación y cada vez son más las chicas que manifiestan abiertamente su condición de lesbianas y bisexuales. Las seguimos en las redes y se expresan con rotundidad. Algunas forman familias, otras, ya de mi generación, se separan y divorcian, y, si llega el caso, se vuelven a casar. La libertad respecto a la homosexualidad ha sido una de las cosas buenas de este siglo xxi. Aun así, nada es fácil, y tampoco la vida en una sociedad patriarcal en transición.

Las mujeres, Celia, llevamos más de cien años esperando al hombre nuevo. Pero, cada vez que parece que va a llegar, surge un imprevisto, una nueva metamorfosis patriarcal. Ahora sí que parecían los chicos decididos a dar pasos hacia la igualdad, se subieron con nosotras al

Tren de la Libertad, estamos juntos en las manifestaciones contra la violencia, contra la benevolencia ante las *manadas* y las violaciones. Pero, entonces, permíteme una pregunta: ¿qué hace el hombre nuevo en los burdeles y en los polígonos «de caza»?, ¿qué hace visitando los portales de pornografía en que las violaciones lideran el top de los vídeos más vistos de la semana? Por cierto, ¿no es un poco ridículo este nombre abreviado de «el porno». Vamos a hablar también de «violen» por «violencia» o de «patri» por «patriarcado». Es un nombre para hacerlo inofensivo, gracioso y cotidiano. Y tal vez no lo es, ya hemos vivido muchas mutaciones del patriarcado en que se presenta con piel de oveja y nos acaba devolviendo al pasado. O a un futuro distópico, que para el caso...

Vamos a explorar esta idea de que *el coleccionismo masculino ha mutado del romance al sexo*. El antiguo coleccionismo del Don Juan se está desplazando al coleccionismo sexual. Un coleccionismo virtual, pero coleccionismo al fin y al cabo.

Como el amor nos está conduciendo al sexo, que es otra forma de relación humana, vamos a meternos de lleno por este terreno, sin miedo a las voces que resuenan con autoridad y nos advierten que no, ¡que nooo!, que nada tiene que ver el sexo con la ética, en definitiva, que no moralicemos. Perdón, ¿nos están diciendo qué es lo que podemos pensar y lo que no?

La filosofía moral reflexiona sobre las condiciones de la vida buena, no sé qué problema puede haber en llevar sus categorías al sexo. Pues nos pedimos el comodín de Epicuro que sí escribió sobre el sexo. Y si hace falta, el de Sade y Georges Bataille, autores que tanto les gustan, curiosamente, a los mismos que nos dicen que no llevemos la moral al terreno del sexo, que no se *debe* intentar domesticar el Ello.

Vamos a comenzar por sospechar un poco de este mandato, que quizá resulta al final un mandato patriarcal, o solo por el placer de pensar.

El sexo también tiene que ver con el reconocimiento

En la actualidad, el sexo ha adquirido tantos significados que no es fácil hacer una lista completa. Nos suelen decir que estuvo oculto y reprimido durante mucho tiempo, pero quizá eso no es muy cierto. Desde la Biblia hasta la *Ilíada* y el *Libro de buen amor* te sorprendería comprobar hasta qué punto se ha escrito y se ha hablado del sexo, y cómo se ha practicado toda la vida. Tanto en plan bien como mal. Has de saber que Sodoma y Gomorra, más allá de haber dado nombre al sexo anal (entre varones), son originalmente dos ciudades que aparecen en la Biblia. En el Antiguo Testamento, en concreto. Deben su fama a que sus habitantes (varones) se estaban pasando un poco. Uno de los motivos era la práctica abierta, pública y constante del susodicho sexo entre ya sabes quiénes. Hasta tal punto estaban centrados en el tema, cuenta la Biblia, que Dios mandó unos ángeles a dar un primer aviso: de seguir así, serían castigados. Pero los habitantes (señores) de Sodoma, lejos de amilanarse, corrieron con la intención de violar a los mismísimos ángeles emisarios. Quizá sí se estaban pasando un poco, pienso. Para frenar esta muestra de escasa hospitalidad, un señor patriarca, de nombre tal, intentó negociar con aquella *manada* de la Antigüedad y les ofreció lo que consideraba un trato aceptable: que violaran a sus hijas y dejaran en paz a los celestiales emisarios. ¿Cómo te quedas, Tuices?

Pues observa lo que sigue: esta oferta les dejó fríos, no les pareció atractiva, tal vez violar chicas era algo ya poco excitante, por habitual. Y viendo los ángeles celestiales que aquella gente (varones) ya no tenía remedio, se volvieron para el cielo. Desde allí mismo, Dios arrojó una mezcla de fuego y azufre (S) y arrasó las dos ciudades. (Nota: esta vez sí, con las mujeres incluidas.)

Como ves, incluso los libros sagrados más antiguos hablan de sexo, sexo de, para y entre varones. Las mujeres solo aparecen en forma de chicas ofrecidas para la violación y en forma de seres achicharrados a causa de la vida sexual de ellos. Pero en nombre de Dios, precisamente, *¿qué habían hecho ellas para merecer morir ardiendo?* Mientras lo meditas, tómate un momento de relax, levántate y besa el suelo que pisas, pues hoy tienes otros problemas, pero este ya no, ¿o sí?

De este breve relato se desprende que el sexo, su omnipresencia y sus excesos no es algo que podamos calificar realmente de «nuevo». También surgen viejos y nuevos interrogantes. La historia de Sodoma y Gomorra, ¿se da un aire a la invasión actual de la pornografía? A veces pienso que sí. Observo la popularidad de los vídeos de violaciones grupales en los portales de pornografía y me pregunto si no será que han vuelto unos ángeles celestiales a la tierra y esta vez sí han logrado negociar con los patriarcas proxenetas y con las *manadas*, ofreciendo a chicas jóvenes para la prostitución. Así habrían evitado la destrucción de nuestras ciudades al convertirlas en burdelandias. Es una hipótesis para tratar de explicar la legalización de la prostitución de jóvenes como tú y mujeres como tu madre en los burdeles de Alemania. Es solo una hipótesis, no digo que haya sido así, no sabemos realmente si existen los ángeles.

Un poco en broma he escrito en otro libro que hoy el sexo lo encuentras hasta en la sopa. Parece un fármaco de esos que todo lo soluciona. Lo mismo sirve para mejorar la circulación de la sangre y la celulitis, para darte un brillo especial en la piel o para comenzar bien la mañana. A veces parece que hay que «practicar sexo» como hay que practicar deporte. Porque es bueno para satisfacer la demanda de vida sana, de elasticidad muscular y producción de endorfinas. Si fuera así, todo estaría a favor de que se practicara más deporte y menos sexo, pues dándole a las pesas no corres el riesgo de quedarte embarazada ni de contraer una gonorrea.

En esta línea de que el sexo *es una actividad como otra cualquiera* están, en general, mis estudiantes. Desde su punto de vista, es una necesidad, es algo «natural», es algo bueno, y el problema que ven, a priori, es que «hay mucha represión». Como tiendo a hacerles caso, me lanzo en clase a comprobar si, tal y como me dicen, es algo tan elemental como beber un vaso de agua.

Llamo a uno de la lista, al azar: «Pepe Pérez, ¿nos puedes explicar qué es el sexo?». Carcajada general. Una de esas carcajadas que se disfrutan tanto en clase. Todos se ríen menos Pérez que, según le sigo mirando, algo murmura, pero no acierta a darnos una definición del asunto. Consciente de sus problemas conceptuales, trato de ayudarle: «A ver, Pepe, reflexiona, ¿tú lo has practicado alguna vez?». Ahora incluso Pepe se ríe, parece que todo está siendo una broma. Para mí no es una broma, es la prueba continua de que el sexo no es una actividad como otra cualquiera. Eso sí, debe de ser algo muy gracioso.

Luego, benditas criaturas, se quieren pasar el resto de la clase convenciéndome de que el sexo es algo normal y natural, como beber un vaso de agua. Le pregunto a Pepe si tiene sed y quiere ir al baño a beber... apenas se escucha la respuesta y les dejo por imposibles.

Lo cierto es que hay una tendencia a querer ver el sexo como algo natural y normal, sin más. A sacarlo de toda represión. Si así fuera, tal vez yo podría escribir: «El sexo es una forma más de relación entre personas, está destinado al placer, a la intimidad, al reconocimiento, y es, además, la forma de reproducción de la especie». La masturbación sería una forma de relacionarse con una misma, de conocer y practicar los mecanismos del placer sexual y, si se quiere, de relajarse, combatir la celulitis y conciliar mejor el sueño. Pero creo, francamente, que no es así.

El sexo no es una actividad como otra cualquiera. Tal vez el camino más directo para explicarlo sea pensar por qué la regla o el tabú del incesto es prácticamente universal. Las relaciones sexuales entre padres e hijos y hermanos están condenadas por la moral y penadas por la ley. ¿Por qué entendemos que un padre o una madre no deben iniciar a sus hijos en la vida sexual? ¿Por qué pensamos que no deben enseñarles a masturbarse, al igual que les enseñan tantas otras cosas necesarias para ir por la vida? Si lo piensas bien, la única respuesta posible es esta: *porque el sexo no es una actividad como otra cualquiera.*

Prohibir a los padres que usen sexualmente a sus hijas e hijos es tanto como marcar un *límite* a su poder sobre sus hijas e hijos. Tú les bañas, les secas, les vistes, pero no debes tolerarte erotizar esa relación. Es decir, convertirles en objetos de tu placer sexual. El *reconocimiento* a un ser humano pasa por el respeto a su cuerpo en este exacto sentido. Tal vez sea posible generalizar esta idea y sostener que el cuerpo es siempre *un límite al poder de los otros sobre mí*. Respetar a los demás es marcarse límites: «no te pases» significa literalmente «no abuses». No abuses nunca, y menos cuando una persona está al alcance de tus manos: si es tu hija o es una joven que está dormida, inconsciente o en coma. Y si no es joven, tampoco. De esto deberían hablarnos a gritos la filosofía moral y las teorías de la justicia.

En esta misma filosofía que mantiene que el sexo no es una actividad como otra cualquiera, subyace la verdad de que la violación y el acoso sexual son particularmente repugnantes. El poder se manifiesta aquí como poder original cuando aún no había propiedad privada ni capitalismo, como el poder de acceder al cuerpo de los otros o, más bien, de las otras. Ese poder se llegó a limitar con el tabú del incesto: tu padre te puede obligar a muchas cosas, pero no te puede obligar a que te desnudes, no te puede obligar a que le hagas un masaje sexual. Los mayores tienen la obligación de cuidar de sus hijos y tomar numerosas decisiones por ellos. Pero no pueden hacer lo que quieran con ellos, y el primer y más inmediato límite es la forma de acceder a su cuerpo. Esto lo escribo para que comprendas que, en todas tus relaciones, tu cuerpo marca un límite. Respetar ese límite es reconocerte como una persona igual y libre. No voy a tocarte si no estás de acuerdo.

«No te acerques» y «No me toques» son expresiones con las que marcamos nuestra soberanía, los límites, al otro.

Este es un buen momento para recordar que las madres nunca hemos sexualizado a nuestras hijas e hijos. No nos hemos tolerado desearles. Las mujeres nos hemos puesto estos límites voluntariamente. Es como si os hubiéramos dicho: os reconocemos como personas autónomas, os hemos traído al mundo, habéis sido parte de nuestra carne, pero no nos pertenecéis. No queremos situarnos en el centro del mundo con el patético estribillo «esto me pone».

Este comportamiento de las mujeres no es algo que podamos despachar calificándolo de «natural», como si las mujeres no tuviéramos juicio moral, es producto de una posición moral en lo que respecta al «sexo».

Si estamos de acuerdo en esta primera verdad, que el sexo no es una actividad como otra cualquiera, la segunda verdad que se ha desprendido de la anterior es la de que el sexo nunca ha significado lo mismo para las mujeres que para los hombres. Y tengo la certeza de que sigue sin ser lo mismo.

La doble moral sexual y la revolución sexual

Si en el amor ha habido siempre una doble verdad en el sexo esto ha sido tan evidente que hace ya tiempo que se conceptualizó como «la doble moral sexual».

Empecemos un poco por el principio. El sexo es una forma de relación y es la forma de reproducir a la humanidad. Toda sociedad cuenta con una normativa sexual. Citaré a Michel Foucault, filósofo francés, con el fin de señalar lo obvio, que siempre ha habido y hay una normativa para regular las relaciones sexuales. Es decir, lo que está bien y lo que está mal. En el caso del sexo, tanto para marcar límites o «reprimir» su práctica como para fomentar su consumo y comercializarlo, siempre encontramos un *dispositivo de sexualidad*. Esta perspectiva foucaultiana, que tanto ha aportado en la Academia, tiene como otras filosofías un problema grave, olvida que existen las mujeres. Ya sé que es un problema persistente en la historia del pensamiento, pero por eso mismo tal vez ha ofrecido y ofrece una visión muy deformada e irreal de la sexualidad.

El feminismo ha añadido algo esencial y sin lo que no se comprende nada sobre el «sexo»: que siempre ha habido una *doble normativa*: las relaciones sexuales no han significado nunca lo mismo para los hombres que para las mujeres. A lo largo de la historia, lo que ha predominado no ha sido «la represión» del sexo, lo que ha predominado ha sido una *doble moral sexual*. Lo que era bueno y valioso para los hombres, era malo para las mujeres, y viceversa. Tener una vida sexual promiscua ha sido un mandato asociado al hombre viril y sanamente desarrollado. Siempre, de toda la vida. De ahí la existencia de instituciones como la prostitución, destinadas a la satisfacción sexual de los hombres y que nada tienen que ver con la reciprocidad de deseo entre hombres y mujeres. El mandato normativo para las mujeres, si exceptuamos las reclutadas para la prostitución, era el contrario, no tener relaciones sexuales promiscuas.

Por eso, cada vez que vayamos a decir o escribir «había mucha represión sexual en la época victoriana», tenemos que recordar, de forma crítica, que en esa época los burdeles se multiplicaban en Inglaterra y las prostitutas, traídas de todos los países, comenzaban prácticamente de niñas. Los clientes, que eran hombres de todas las edades y condiciones, no parece que estuvieran tan reprimidos, francamente. Lo cuenta con detalle la socialista Flora Tristán en su obra *Paseos por Londres*.

Afortunadamente, Celia, tú ya naciste en una sociedad que había dejado atrás este tipo de normativa sexual. El cambio se dio a partir de la *revolución sexual* de los sesenta, años de profundos cambios culturales. La juventud se convirtió en sujeto colectivo y desafió con éxito valores del mundo adulto. «Haz el amor y no la guerra» y «Sexo, drogas y rock and roll» fueron eslóganes que sintetizaron el espíritu de una época. Los sesenta, la década prodigiosa. Con la revolución sexual comenzó un proceso que pondría al sexo en el centro de la vida en un doble sentido: practicarlo es bueno en sí mismo, fuera tabúes, y además se relaciona con el sentido de la vida. La filósofa Alicia Puleo ha explicado que la sexualidad fue adquiriendo un sentido trascendente, se fue definiendo como un lugar de realización, incluso de salvación personal. Un lugar de cobijo y rechazo de la lógica instrumental y del beneficio. El sexo adquiría nuevas y sorprendentes cualidades. Lo mismo era fuente de sentido en un mundo sin mucho sentido, que te conectaba con el Absoluto (así, ¿sin orgasmos?) que era directamente AntiSistema. Si practicar el sexo podía derribar el Sistema capitalista e imperialista, la estrategia estaba bien clara, había que empujar cuanto más, mejor. Qué bueno. Las feministas que militaron en partidos antifranquistas nos contaban que algunos compañeros interpretaron esto como una especie de derecho de pernada anticapi, traducido a tu lenguaje «derecho de sobar y follar, camaradas». Si hacerlo era letal para el Sistema, ¿en nombre de qué ibas a decir «No, gracias»? Aquellas que no terminaban de ver claro qué diablos tenía que ver la desigualdad de clases, etnias y países con acostarte con un compañero majo, pero carente de atractivo físico, corrían el riesgo de recibir una inquietante etiqueta. La de «frígidas», «reprimidas» o algo mucho peor, y encima sin remedio médico, la de ser unas «fáquin burguesas». (Nota: es como cuando te dicen hoy que tu *problema*, o el problema de todo lo que dices, haces y piensas, procede de que eres una «mujer blanca, heterosexual y de clase media». Nunca he escuchado que el problema de Foucault, Marx o Nietzsche consista en ser «varones, blancos y de clase media»; siempre nos miden con un doble rasero.)

Al mismo tiempo que sucedía todo esto de la revolución sexual (patriarcal), unas jóvenes intrépidas estaban desarrollando el activismo y los textos donde nació lo que hoy llamamos el *feminismo radical*. El feminismo de los sesenta retomaba con firmeza la crítica a la doble moral sexual. Una de sus aportaciones fue la denuncia de una sexualidad hecha por y para varones. Libros, estudios y reportajes relataron la decepción de muchas mujeres con la sexualidad dominante. Dijeron en voz alta que, a menudo, ni siquiera disfrutaban con las relaciones sexuales, que no tenían orgasmos y que no se veían reflejadas en las idealizadas imágenes sexuales de las películas, y mucho menos en la pornografía. *El informe Hite*, centrado en la sexualidad femenina, sería uno de los textos más conocidos de esta vertiente de la revolución sexual y puso de manifiesto que las mujeres reivindicaban el derecho a sentir placer. Otra aportación crucial del feminismo fue la de terminar con la conspiración del silencio y poner en primer plano y condenar sin paliativos la relación entre sexualidad y violencia, traducida en abusos, acosos y violaciones. Por último, y en decisivo lugar, plantearon abiertamente la atracción sexual entre mujeres. Se cuestionó la invisibilidad y la estigmatización de las lesbianas, y muchas de ellas formaron parte del núcleo teórico y la militancia feminista de aquella época.

En resumen, las feministas de los años sesenta criticaron con dureza las promesas incumplidas de la revolución sexual. Pusieron en evidencia que, frente a la promesa de unas relaciones sexuales basadas en la reciprocidad, la experimentación y el deseo mutuo, pervivían y se desarrollaban nuevas formas de relaciones asimétricas y de dominación entre chicas y chicos, entre señores mayores y chicas jóvenes. Algunas feministas se atrevieron a denunciar cómo los señores casados sofisticaron su técnica para acceder mediante engaños al cuerpo de jóvenes «liberadas». Kate Millett diseccionó la nueva figura del «canalla bohemio» como objeto de culto «antiburgués» y anticapitalista para los chicos de izquierdas y le redefinió como nuevo modelo de machista, un mero coleccionista de relaciones sexuales con mujeres a las que en el fondo desprecia.

Asimismo, analizaron la conversión de las mujeres en objetos sexuales y de consumo ligados al mercado capitalista. Prueba de ello fue la proliferación de revistas tipo *Playboy* e *Interviú*, que mezclaban temas «serios» de crítica literaria y política, destinados a varones intelectuales y progresistas, con mujeres desnudas. Cuestionaron el hecho de que esto se etiquetara como «progresista» y «emancipador». En nuestro país, al finalizar la dictadura en 1975, también se reprodujo la ecuación «chicas libertad = chicas desnudas». Comenzaba el negocio de la *liberación sexual*» y una nueva religión: la devoción al aparato sexual masculino. Vamos con esto último.

El sexo como devoción al pene

En principio, un pene es un trozo de carne, sin más. Un rasgo físico de la mitad de la humanidad. Se sitúa colgando por mitad del cuerpo y su función principal es hacer pis. Es la principal porque si los chicos no hacen pis, se mueren. Decía Aristóteles que «lo que es, quiere seguir siendo». Pasados unos primeros años dedicado a hacer pis, el pene adulto adquiere su función en el proceso de reproducción humana. El semen es necesario para que una mujer engendre y reproduzca a un ser humano. Ahora bien, ¿cómo sale el semen de su sitio? Para extraer el semen se precisa una acción mecánica y placentera que termina con unos ruidos guturales y la salida del mismo a través de un conducto con un agujero.

Una de las conquistas de la humanidad ha consistido en convertir este trozo de carne en una religión, una religión avalada por la ciencia, el arte y casi todo lo que se puede ver a través de una pantalla. Esta religión la podemos denominar, de momento, «penelogía» o «peneología». Al menos hasta que se pronuncie la Real Academia de la Lengua.

Los hombres, que como sabes arrebataron el poder a las mujeres, siempre han identificado el susodicho pene con el principio y el final de la vida sexual. No «de la vida sexual masculina», como tal vez pudieras pensar, sino «de la vida sexual», sin adjetivos. Y mucho más.

Para empezar, el pene o trozo de carne ha sido rebautizado como «polla». La polla ha adquirido las dimensiones de todo lo bueno: «¡Esto es la polla!», «Pollazo»... También, por metonimia o proximidad, los dos sacos o huevos que tienen los chicos en su aparato reproductor han pasado a formar parte de la constelación de lo grandioso. Mira que son dos bolsitas de lo más feo del precioso cuerpo masculino, pues no, resulta que sirven para describir un comportamiento sublime. Son los «cojones».

Que su equipo mete un gol, pues se los tocan, pero no con una cierta dejadez, no, se los suben y bajan con fuerza, como si estuvieran enviando un mensaje a la humanidad. Que se quieren retar, pues dicen: «¡No hay huevos!». Que se quieren alabar entre sí: «Tienes huevos como melones, chaval».

¿Cómo han conseguido los varones convertir su aparato urinario y reproductor en el símbolo del poderío, del triunfo, y en una de las cumbres de la humanidad? Y casi sin enseñarlo. Algún director de cine, famoso por ser «muy transgresor», declaró en una entrevista que nunca sacaría un pene en una película porque era «brutal». Pero, a ver, un poco de luz cartesiana, señores transgresores, cualquier mujer, cualquier enfermera te puede decir que no, que no es brutal. Un poco más de naturalidad con los penes, por favor. Las madres los vemos desde su nacimiento y nos parecen cualquier cosa menos brutales.

A ellos les parece lo más. Dicen la palabra «polla» y entran en trance: «Me suda la polla», «Es la polla», «Voy a acabar hasta la polla»... Tal famoso no usa *pendrive*, va con un *pene drive*. Otro chico famoso acude a un programa y le lleva al presentador una taza de regalo, ¿imaginas qué tiene la taza como asa? Sí, hija, sí, un pene. Se ríen a carcajadas o les entra la risa floja, *esa maravillosa cama-*

radería masculina. Me hubiera gustado que el presentador le preguntara algo incómodo al chico de la taza, y también al que dijo que «Andorra es la polla». Al primero le podría haber preguntado dónde está exactamente la gracia de que el asa sea un pene. Y al segundo le podría haber echado del programa, por reírse de la clase trabajadora que paga sus impuestos. Pero no, la palabra «polla» todo lo arregla. Amén.

Hay una serie de filosofía que está muy bien, se titula *Merlí.* Estamos muy contentas las profesoras con su éxito. Llega un profesor nuevo al instituto y se dirige a su clase: «Quiero que os empalméis con la filosofía». Ya estamos. Una estudiante, bien podría haberle contestado: «Mire, señor de sesenta años, estamos del androcentrismo hasta los ovarios, nosotras ¿qué, nos empalmamos también?». Pero, no, hasta ahí podíamos llegar, las chicas de la serie ponen cara de asombro ante el nuevo Aristóteles. Y se lo tragan todo, igual que se tragan que el tal Merlí folle con argucia, y el primer día de la serie, con la profesora de educa, solo unos treinta años más joven. Así se construye la subjetividad de nuestras adolescentes: el mensaje siempre es el mismo, la edad de ellos no importa. Otro día, para mostrarle su devoción al profesor, dibujan un pene en la pared del instituto. ¿Ves como no son imaginaciones mías?

Tiene toda la pinta de ser una nueva devoción religiosa. No me extrañaría que estuviera al llegar otro Sigmund Freud y explicara de nuevo, en plan sesudo, que las chicas tienen envidia del pene. ¿Cómo no van a tener envidia si todo el día están expuestas a la apología del pene por parte de los chicos que mandan? Basta con ver cómo se toca los huevos Simeone para sentir que te falta algo donde agarrarte.

Antes de pensar que me he trastornado por traer este tema tan mundano a un libro de filosofía, recuerda que he citado a Freud en el párrafo anterior y con ello he logrado el pin de la inmunidad. Que si Freud dijo que todo era sexo y que los tiernos infantes soñaban con acostarse con sus madres, y ha pasado a la historia del pensamiento, no sé por qué no voy a poder decir yo estas pequeñeces. Sigue leyendo, por favor, que tal vez la del pene sea una pieza importante del puzle que tienes que resolver para vivir tu vida buena. Tu vida sexual buena, por ejemplo. Tómate un tiempo para pensar.

Sara Hite, la autora de *El informe Hite* lo hizo, se tomó su tiempo para investigar la sexualidad. Entrevistó a miles de mujeres que le contaron que apenas sentían nada si la relación sexual se limitaba a la «penetración» del pene, mostró al mundo la parcialidad de lo que se llamaba «hacerlo» o tener relaciones sexuales «completas», y denunció el pasotismo masculino frente a la clamorosa ausencia de orgasmos femeninos. En definitiva, se atrevió a criticar la penedevoción, y lo que sucedió es que la acusaron de propagar el odio contra los hombres. De *penefobia* me imagino que la acusarían hoy por Twitter.

Para seguir investigando la doble verdad, tendremos en cuenta nuestras reglas del método. Te recuerdo la más básica: siempre que algo propio de chicos o para chicos se considere bueno y valioso, hay que pensar si tiene su equivalente para las chicas. En este caso, vamos a pensar si la penelogía tiene su equivalente en lo que respecta al aparato sexual femenino, a saber, si hay también una vulvalogía o una clitorisología. Pues no, de eso apenas se habla, y tampoco hay mucha bibliografía. Aunque hoy, Celia, he ido a una librería y he visto un montón de títulos nuevos sobre el placer de las mujeres. Léelos sin falta, vamos a ver si esta vez estamos en proceso de cambio.

Hoy por hoy, la mitad de la humanidad, las mujeres, tiene un aparato urinario y reproductor internos y un órgano externo cuyo fin es solo el placer sexual y se llama clítoris, y los dos han sido casi anulados en la exitosa operación de endiosamiento del pene. Si tú disfrutas de una relación sexual y tienes un orgasmo, pero no ha habido penetración, pues resulta que «no lo has hecho» o no lo has hecho del todo. Hay que fastidiarse, cuánta paciencia hay que tener, heterosexuales y lesbianas. Tal vez estas últimas no tienen tanta.

Las chicas lesbianas, con el sexo no tienen muchos de

los problemas que tienen las heterosexuales, pero les afecta igualmente la calificación de sus partes sexuales. Ahora resulta que la vulva en argot se llama «coño» y representa lo aburrido y lo monótono; lo insufrible e insoportable se llama «coñazo». Como diría un *influencer*, «no empezamos bien». No, hijo, no empezamos bien, las mujeres no hemos empezado bien desde lo del mamut y las cuevas, ya en los primeros miles de años. ¡Ponte en nuestro lugar, anda, *influencer*, *streamer*, máquina!

Algún problema tiene que revelar o esconder el hecho de que el androcentrismo continúe invadiendo el lenguaje sexual. Las señoras, salvo mi amiga Manuela y algunas jóvenes que van en aumento, no suelen decir «No hay ovarios». Acostumbran a seguir el culto peneológico con singular devoción. «No hay cojones», oyes decir a mujeres vestidas con elegantes trajes de chaqueta. Pues no, en nuestro caso concreto no los hay. Hay ovarios, hay labios mayores y menores, hay clítoris, hay un montón de cosas, pero no sé si todo esto merece algo la pena o aburre a las ovejas. Al menos, el lenguaje así lo refleja.

Paradójicamente, ese «coñazo» puede convertirse en tu mejor recurso. Menudo lío tenemos en la cabeza, el patriarcado consiste en meterte en un laberinto del que no es fácil salir, por algo Esperanza Bosch y Victoria Ferrer lo llaman «el laberinto patriarcal».

Tu cuerpo es tu mejor recurso: ¡sé tu propia emprendedora sexual!

«Tu cuerpo es tu mejor recurso», este es el mensaje más arcaico del patriarcado. Las mujeres hemos sido consideradas cuerpos mientras los hombres se elevaban hacia el mundo de las ideas y las ciencias. Este mensaje ancestral es el que se está dirigiendo ahora, de forma renovada y machacona, a las chicas. Sobre todo, desde el mundo de la creación y los medios de comunicación, desde las redes, las televisiones, las plataformas y las revistas femeninas. Pero también, y más de lo que puedas imaginar, desde el mundo de la cultura oficial, académica. Respetadas voces de filósofas y sociólogas se unen a la autoridad de señores intelectuales que tienden a difundir esta buena nueva: las mujeres tienen derecho a autocosificarse. Vaya, nos ha salido un derecho humano nuevo, ¡a nosotras solas! Qué bueno es el señor Patriarcado, Celia, y tú y tus amigas, ancladas en el victimismo, siempre criticando.

Hay dos discursos distintos sobre la relación entre el dinero y el cuerpo. El primero es el que te llega desde muy pequeña, junto con el tocador de la Srta. Pepis, o comoquiera que se llame ahora. Es ese mueble con un espejo donde aprendes a ponerte guapa, a arreglarte, a sacarte partido. Este discurso implica que el dinero te va a tocar ponerlo a ti: gasto en maquillaje, gasto en ropa interior, gasto en peluquería, máster en belleza y moda. Y ya me llegan tus protestas, que no hay nada malo en arreglarse, en ponerse atractiva, pues claro que no, solo eso faltaba. Solo existiría un problema si este placer de sentirte guapa y atractiva se terminara convirtiendo en su contrario: en la obsesiva y peligrosa idea de que nunca estás lo suficientemente bien, que siempre tienes defectos, que eres un cuerpo imperfecto. Este tocarse la cara y el cuerpo con cierta distancia: mira qué ojeras, qué cejas, qué tripa, qué pelos. Pero, vamos a ver, ¿imperfecto para qué, para vivir una vida con sentido, una vida buena? Volveremos más adelante sobre este tema tan importante de la relación estética con nuestro cuerpo.

Los chicos también han tenido y tienen el mandato de «sacarse partido», pero siempre en mucha menor medida, y según cumplen años, va disminuyendo, ahí están los fofisanos y ya hemos visto cómo ligan los calvos y los gordos a los sesenta años (disculpa, Merlí, pero es así). La diferencia decisiva entre chicas y chicos se encuentra en un segundo discurso sobre la relación entre el dinero y el cuerpo. Es un discurso que te va llegando a partir de la adolescencia, para que vayas comenzando a pensar en cobrar por la inversión realizada. Te van a ir presentando como un chollo el dinero que puedes lograr por exhibir o alquilar tu cuerpo, por ponerle un precio. Este mensaje no les llega a los chicos, solo a vosotras.

Fíjate en un primer detalle: me cuentan mis estudiantes que hay discotecas en las que las chicas entran gratis y los chicos pagan. ¿Cóoomo? En pleno siglo XXI te están diciendo a la cara que tú entras gratis porque eres un reclamo para los chicos. ¿Por qué otra razón iban a dejarte entrar gratis? Te están colocando al nivel de las botellas de Coca-Cola y de ginebra, que tampoco pagan por entrar; es la ontología del objeto. Así se va iniciando una larga cadena de mensajes que te va entrenando en sacar partido a tu cuerpo, en que paguen por él. ¿No te parece un poco sospechoso todo esto?

En el mundo académico este discurso se presenta como una teoría sobre el capital erótico. El ropaje académico consiste en adoptar un tono neutro y científico porque incluye la palabra «capital». Ahora, además del capital económico, tenemos el capital humano, el capital cultural, el capital simbólico, etc. La tesis básica mantiene que también existe un capital erótico o sexual: es la capacidad de atractivo o de seducción que una persona puede desplegar. El tema es convertirlo todo en capital. A esta tesis se añade otra más, la triste realidad de que el capital erótico, como el capital real —es decir, el dinero—, está desigualmente repartido en este mundo. La mala noticia, explica Catherine Hakim, una socióloga inglesa, es que resulta mucho más rentable nacer guapa y tía buena que fea. La buena noticia es —¡atenta!— que todas podemos aumentar nuestro capital si dedicamos trabajo, tiempo y esfuerzo. Es cierto que para llegar a esta conclusión quizá no es necesario un sesudo libro académico, con leer *Vogue* basta, pero la teoría no acaba aquí. Hakim añade que su enfoque detecta una diferencia importante entre los sexos. Las mujeres poseemos *más* capital erótico que los hombres. La razón estriba en que ellos desean nuestro cuerpo, y nosotras deseamos menos el suyo. Este desequilibrio a nuestro favor hace que —ahora te vas a reír— tengamos más poder sobre ellos que viceversa.

Es increíble, pero cierto. Esta teoría, amén de ser lo de nuestras tatarabuelas, da por hecho que los hombres son los que disponen del capital real. Tienen más dinero y más poder, pero la grandeza del descubrimiento radica en que están dispuestos a gastarlo para conseguir tu capital erótico. Es como sostener que el cocinero del restaurante al que vas tiene poder culinario sobre ti porque quieres probar sus platos.

Este mensaje de «tu cuerpo es tu mejor recurso» no se expresa solo desde una teoría del capital neoliberal, como la de Hakim, sino que también la formulan autores que se declaran rabiosamente anticapitalistas y antisistema. Alguna diferencia hay: estos últimos ponen más el acento en que os automercantilicéis en cooperativas. La palabra «cooperativa» marca la diferencia y parece dotar de modernidad y progresismo lo que podría parecer rancio y patriarcal. Son pensadores guais, no tienen ningún problema con los cuerpos, sobre todo con los vuestros. Les distinguirás porque, tarde o temprano, acaban planteando con mucha seriedad esta pregunta: «¿Quiénes somos nosotros para coartar la libre elección de las mujeres?». Casi siempre que alguien se plantea el tema de la libre elección de las mujeres es para acabar hablando de la libertad de las mujeres para prostituirse. Es muy sospechoso.

¡Cartesianas del mundo, uníos! Las reglas del método «are women's best friends»

Estos discursos no son inofensivos, enmarañan y confunden mucho porque, aunque los formulen mujeres, lo hacen en nombre de la autoridad de señores de mucho prestigio, por eso haremos bien en utilizar nuestro mejor recurso. No, no es tu cuerpo, sarcástica Celia, sino el *Discurso del método*; en concreto, te propondría acudir a la primera y principal regla, aquella que nos puede evitar caer en el error, incluso si una genia maligna nos tentara con el dinero y el éxito. Regla número 1: «No dar por verdadera ninguna proposición sobre lo bueno y lo valioso que se dirija a un solo sexo». Bendita sea la metodología, Descartes y Poullain de La Barre, el filósofo.

Vamos, prudente Celia, a desconfiar por sistema de todo mensaje que se dirija solo a la mitad de la humanidad. ¿Por qué no se dirigen también a los chicos quinceañeros para que vivan de su cuerpo y pongan precio a su sexo? Harás bien en desconfiar aún más de los mensajes *solo para chicas* si adoptan un tono entre casual, dicharachero y transgresor. Suele ser el envoltorio de los mensajes del neoliberalismo económico. Para descubrir el tono neoliberal contamos con otra regla del método casi infalible: si al final del argumento aparece ligado al sexo la palabra «emprendimiento» y «empoderamiento», y todo se acaba resolviendo con dinero, no hay duda: apesta a neoliberalismo.

Si dejamos la cultura académica y dirigimos la mirada hacia la cultura popular, enseguida nos encontramos ante la máquina de la cultura audiovisual liderada por Estados Unidos y aceptada por todo el planeta, dado su poderío como colonizador cultural. El mundo del videoclip hace años que ha enarbolado la misión de grabar canciones en que el mensaje es *vales lo que vale tu cuerpo*. Son las imágenes que vemos en las pantallas de los bares, en casa, en el móvil. No es posible escapar del mensaje, sea implícito o explícito. Hemos pasado de una Beyoncé que les cantaba a los chicos animándolos a que pusieran un anillo en el dedo a las mujeres, es decir, a comprometerse en una relación, a unas raperas que cantan que, cuando *lo hagas*, no olvides que pasen la tarjeta de crédito por la raja. Pero, a pesar de la diferencia de las letras, que es grande, en las pantallas vemos lo mismo, chicas muy guapas y con cuerpos increíbles en movimiento. Se habla continuamente del puritanismo yanqui, pero hace tiempo que el dinero ha dejado atrás al puritanismo. De allí fue llegando la tendencia de que las cantantes rodaran vídeos como si fueran aspirantes a rodar porno. Me remito para este análisis a las obras de Yolanda Domínguez. Los vídeos de raperas transgresoras explican a las niñas que, uno, el sexo les va a dar poder sobre los hombres, y dos, tontas serían si no usaran su cuerpo para ganar dinero. El mensaje más repetido suele ser el de una joven que dice: «Yo mando».

Sí, mujer, tú mandas, pero ¿no estábamos hablando de sexo? El placer sexual de las chicas se ha terminado solapando con el dinero, no existe. Sexo es lo que tú das a los hombres o lo que ellos buscan en ti. En fin, me voy a tomar una tila, que este mensaje, supuestamente moderno, es más viejo y rancio que la institución de la prostitución. Dan ganas de decir: «Vale, me rindo: salir en bragas, pedir dinero o pedir una fusta es superfeminista».

En resumen, se está difundiendo la creencia de que una chica tiene poder porque alguien la desee, y si encima le deja unos billetes, pues empoderamiento al cuadrado. Pero, realmente, en las transacciones comerciales el cliente siempre elige y siempre tiene razón. Si a una mujer el hecho de ser elegida la empodera, esto solo puede comprenderse si se asume que el hombre es un ser superior.

Extraña concepción del poder: que los hombres te den dinero porque ellos lo tienen y tú lo vales. Tú, la de la clase que va mendigando dinero. Perdóname la rudeza.

Me viene a la cabeza la frase con la que se inicia el feminismo: «No queremos el poder sobre los hombres, lo queremos sobre nosotras mismas». La escribió Mary Wollstonecraft en el siglo XVIII, harta de escuchar canciones sobre cómo tenía que ponerse el corsé para engatusar a los hombres.

TU CUERPO ES TU MEJOR RECURSO: SER DESEADA ES SER

No pararé hasta resolver este interrogante: ¿cómo y quién ha logrado meter en la cabeza de las jóvenes de hoy día que «Ser» consiste en ser deseadas, en saber hacer con dedicación y esmero todo lo que a ellos les pueda gustar? ¿Dónde quedas tú, si sientes que nadie te desea? ¿Qué cuentan exactamente tus deseos? ¿Y tu placer?

El sexo es una fuente de placer, de placer recíproco, y parece que uno de los polos de la relación ha estado invadiendo de forma abusiva la relación. Hay el mandato de ser sexy y hay el mandato de ser sexy siempre, hasta la muerte, si llega el caso.

Las mujeres siempre vamos de mandato en mandato, el mandato de cómo ser la mujer ideal *para los demás*. El tema del cuerpo y el sexo está siempre abarrotado de mandatos. Si en algunas culturas el mandato es ir tapada hasta las cejas, en la nuestra se basa en la libre elección de vestimenta. La libre elección entre las múltiples formas de ser deseable. Como si ahora que las chicas pueden viajar, estudiar y salir de fiesta, la cultura patriarcal consiguiera amargarles lo conseguido; si no son lo suficientemente deseables, ¿de qué sirve todo lo conseguido? No ser deseada es una tragedia. De nuevo, nuestra autoestima pasa por el cuerpo.

Hay unas palabras que tengo muy presentes de Viv Albertine, la cantante de la banda alternativa inglesa *The Slits*, que declaraba: «Todos los chicos con los que salí, tenían algún comentario que hacer sobre mi cuerpo: "Tienes el típico cuerpo de pera inglés", "Tu nariz, esto", etc. Al final, estás tan cohibida que ni te atreves a desnudarte». Y añadía: «En la época, aquella mierda asesinó mi sexualidad. Me agotó». Albertine procedía de la clase trabajadora, se crio en una casa sin libros, ni nada que se le parezca. El padre se había ido de casa. «De mi madre solo heredé la rabia. [...] Yo solo tenía la rabia de mi madre y mi propio aburrimiento. [...] El cabreo era mi gasolina», manifestaba en una entrevista.

Hay razones para cabrearse y muchas, el cabreo es un buen motor, una buena gasolina. A medida que voy escribiendo este libro, no hago más que cabrearme.

He leído unas declaraciones de Billie Eilish y dice que nunca sale semidesnuda ni desnuda en las portadas ni en las redes, tiene ideas propias sobre esto. Pero ¿su profesión no es la de cantante? Es cantante, pero ya la han sacado en *Vogue*; la poderosa industria de la imagen quiere hacer negocio con ella. Estrujan a las adolescentes como limones para que salga todo el dinero que pueden llevar dentro. *Vogue* quiere vender su propuesta de estar sexy a todo el mundo: que nadie se quede atrás, no quiere dejar a nadie fuera, son bienvenidos todos los cuerpos, nadie debe quedarse sin la posibilidad de invertir y gastar en su capital erótico.

Esta es la buena nueva: todas podemos estar más guapas. Bienaventuradas las feas porque de ellas también será el reino de los cielos, si entran a formar parte del juego. Pero el caso es que se trata cada vez menos de un juego.

Si «ser» significa «ser deseada», ¿qué sucede cuando la tiranía de la imagen hace que vaya en aumento el número de chicas que están descontentas con su cuerpo? El sexo es algo que, por mucho que digan que está en nuestra mente, se hace finalmente con el cuerpo. ¿Y qué pasa cuando en la mente de tantas chicas están metiendo que su cuerpo es una caca, y que tú eres tu cuerpo?

En segundo lugar, y para engrasar este gran negocio, se expande otro mensaje muy claro: nunca «renuncies» a ser deseada. ¡Qué pesadez, de verdad! Estamos en un tiempo en el que la industria es insaciable, también tiene muchas cosas que vender a las mujeres mayores, a las madres. De hecho, son el grupo con más capital efectivo para comprar. Cremas y tratamientos carísimos, cirugías renovables cada seis meses. La pornografía ha puesto de moda a las *milifas*, expresión que reúne las iniciales de esta simpática expresión inglesa: «Mothers I'd like to fuck», que traducido significa: «las madres de mis amigos que me gustaría follar». Es una categoría que puedes encontrar en los portales de pornografía. Alguna madre ya ha declarado estar encantada, los compañeros de la ESO le han dicho a su hija que ella es una *milifa*. La pregunta es: ¿cómo pueden las madres de cincuenta años dar saltos de alegría porque niños de once se atrevan a decir que las consideran material follable? Pues así estamos.

¿Tiene razón Sara Mesa cuando afirma que, para una mujer, no ser deseada es una tragedia? Vamos a ver, llevamos doscientos años de feminismo. Pregúntate a quién deseas tú y por qué y para qué. «Qué bobada, ¡no se puede racionalizar algo tan libre como es el deseo!», dirán. Ya sabemos lo libres que somos, tienes un pecho como una pera, tienes cartucheras, tienes mucho pelo y todo tu libre esfuerzo por estar sexy se ha venido abajo.

Una última reflexión, si es cierto que a las chicas les están metiendo en la cabeza que su cuerpo es imperfecto, y volvemos con ello a lo mismo que decía Aristóteles hace veinticinco siglos, ¿cómo podrían remediar tan tremenda falta? Vuelvo al principio del texto: la mejor manera que tienen es ofrecer algo a cambio, saber hacer con dedicación y esmero todo lo que a ellos les pueda dar placer, y no pedir nada para ellas. De hecho, por ahí se escucha que es mejor acostarse con feas porque hacen de todo con tal de ser aceptadas. Vamos a ver si rompemos el pacto de silencio.

EL SUEÑO DEL HARÉN Y LOS COLECCIONISTAS DE POLVOS

La filosofía trata de las preguntas que le formulamos a la realidad. ¿Qué piensan y esperan del sexo los chicos? Vamos a intentar ponernos en su lugar. Al no ser nosotras chicos, no tenemos una fuente directa y ellos igual no lo cuentan todo. Probemos otro método, ¿qué enseñanzas he recibido yo cuando era joven sobre el tema? Voy a ponerme en situación, me han mandado hacer una redacción sobre el tema: «Los varones y el sexo». ¿Cómo empiezo? Acudo a mi memoria: ¿qué oía de pequeña sobre los chicos y el sexo?

Lo que más he oído en esta vida es que los hombres siempre están dispuestos a hacerlo. El otro día hablaban sobre Tinder y se decía que ellos lo hacen cuando ellas quieren y ellas, cuando quieren. Entonces esto, al menos, no ha cambiado, ellos siempre están por hacerlo y, si no es así, hay algo extraño por medio, hay que buscar una causa, una explicación.

En el mundo de ayer, en los tiempos de las colas en el supermercado de la mano de mi madre, a veces oía retales de conversaciones que no comprendía. Hoy más o menos sé que hablaban de hombres casados que tenían amantes, que se gastaban «con mujeres» el dinero de sus hijos. Aquellas madres que nos alentaron a estudiar, compartían un lema entre sí: «La mujer lista se hace la tonta». Esto quería decir, literalmente, que las esposas listas tenían que saber que a los hombres había que dejarles «echar una cana al aire», que se liaran con chicas más jóvenes y guapas que ellas, y hacer la vista gorda.

Las sociedades de todos los tiempos han reconocido que era necesario satisfacer la necesidad de variedad sexual de los hombres, no se fueran a enfadar y ponerse como Hulk, hechos un basilisco. El deseo del señorito es sagrado, y punto. Para que los chicos tengan resuelta esta situación, las sociedades han inventado instituciones como la prostitución y el harén. También la poligamia y alguna otra. Todas son instituciones que cumplen la finalidad de proporcionar mujeres de libre acceso, no gratis, pero sí públicas, como los bares, donde también pagas, aunque son de libre acceso.

Lo que parece quedar claro es que a los hombres les gustan «las mujeres». Vale, de acuerdo, pero ¿cuáles en concreto? Al parecer, en el sentido que hablamos, el sexual, les gustan todas, cualquiera. Apenas ven diferencias. Disculpa la crudeza del lenguaje, pero tu madre ha visto muchos vídeos en las páginas de pornografía en los que los señores follan a jóvenes dormidas, inconscientes o en coma etílico. Y tienen millones de visitas. Bueno, suelen ser mujeres muy jóvenes. Podemos, tal vez, modificar la frase inicial y decir «a los hombres les gustan "las mujeres jóvenes"», en aras de una mayor aproximación a la verdad.

Un sueño recurrente en el imaginario sexual masculino es el del harén, llegar a casa y encontrar un surtido de chicas esperándolo. Hombres famosos declaran que se han acostado con tres mil mujeres, y los hombres del pueblo se lamen las heridas, nosotros no hemos podido. Mujeres al peso: «Póngame media tonelada de mujeres». Mira lo que escribió Leonard Cohen, alias el Profundo, ese que no deja de sonar en tu cuarto, ese entrañable perdedor, en su obra *La energía de los esclavos*, cuando era un señor mayor y famoso: «Las quinceañeras que yo deseaba, las tengo. Es muy agradable, nunca es demasiado tarde. Os recomiendo a todos que os hagáis ricos y famosos». Nos gustan tanto sus canciones... Susurra palabras que le retratan como un melancólico soñador, tal vez un perdedor, y de vez en cuando atisbamos el nombre de una mujer en sus letras, como Susan, unas naranjas, un hotel. ¿Cómo lo veo después de leer el texto anterior? Como un viejo abusón que cree tener impunidad, porque la tiene, de explicar el placer que le proporciona abusar de chicas a las que lleva más de veinte y treinta años. De niñas, porque con quince años eres una niña. Y es abuso porque con esa diferencia de edad y de poder se abusa.

No quisiera fastidiarte las canciones de Cohen, pero como dice Lula Gómez: «Pues, claro, boluda, el feminismo te destroza la vida, che». Lula, autora de *Eres una caca*, es una especie de genia que no tiene miedo a mirar la realidad de frente. La verdad es que no la veo a ella ni a otras *influencers* soñando con llevarse a toda la quinceañería que puedan a la cama. ¡Ni a Barbijaputa ni a Feminista Ilustrada! ¡Ni a las Mamiblues ni a las que se van Devermú!

«Las quinceañeras que yo deseaba, las tengo.» ¿No hay aquí una diferencia brutal entre el imaginario del paraíso para hombres y para mujeres? El sueño de coleccionar jóvenes ha herido y mutilado los sueños de muchas crías, no lo olvides nunca, porque son crías. Las crías no están maduras con quince años. No son ninguna fruta.

Aquí parece haber una diferencia enorme, un abismo entre los sueños de chicas y chicos. El día que una mujer, joven, mayor o intermedia, me diga que uno de sus sueños es llegar a casa y encontrarse con un ramillete de quinceañeros semidesnudos y con la boca entreabierta, me tiro por la ventana. El día que entrevisten a una escritora de culto y responda con media sonrisa que a ella lo que de verdad le ha gustado en la vida son «los hombres», me tiro por el viaducto. Pepa Pérez, nuestra Pepa Pérez, conocedora sutil del alma humana y con la sabiduría de los años, nos deja esta hermosa lección de vida: «Lo que de verdad merece la pena en la vida son los hombres, siempre me he rodeado de ellos, son mejores que nosotras».

No quisiera estar dando la impresión de que son los hombres famosos y privilegiados los que pueden acceder a un pequeño harén. Nada más lejos de mi intención. El patriarcado se configura como una promesa de ofrecer a más de una mujer para todos. Que cualquier hombre, por anodino que sea, pueda acceder a una variedad de chicas, en forma de esposas, amantes o putas. Hasta el más anodino. Para que cualquier hombre pueda disponer de chicas, tiene que haber mucha desigualdad en nuestro mundo, mucha desigualdad estructural en las relaciones entre mujeres y hombres. Si no fuera así, no existirían los harenes de mujeres, el coleccionismo de mujeres, existiría la reciprocidad en el deseo.

A estas alturas, más que paciente Celia, bien podrías decirme: «Dilecta madre, para ser este un libro destinado a jóvenes, enseguida te lanzas a hablar de mayores». Voy a tener que darte la razón, debo reconocer esta verdad que recorre el libro, que ahora tomamos la palabra nosotras y nos damos el poder de hacerlo con libertad. Si escuchas, puede que tu vida vaya a ser más autoconsciente y, por tanto, mejor. Si es necesario cito al viejo Sócrates: «Conócete a ti misma y conoce la cara que otras hemos visto del mundo».

¿«SEXO» ES UNA PALABRA QUE CONVIERTE HOY EN ACEPTABLE LO INACEPTABLE? LA DESTRUCCIÓN DE LA POSICIÓN MORAL DEL «PONTE EN NUESTRO LUGAR»

Decía la gran Concepción Arenal que un señor podía portarse como un canalla, pero que mientras lo hiciera con una mujer, no dejaba por ello de ser considerado un caballero.

Un padre de familia podía meterse por la noche en la cama de la criada, una joven recién llegada de la España rural del XIX, taparle la boca y follarla cuando y como le apeteciera. Si se quedaba embarazada sería expulsada de la casa por golfa e inmoral, y pobre de ella si osaba señalar al patriarca o al señorito. «Tú, indecente, ¿cómo te atreves siquiera a mencionar el nombre de quien te abrió las puertas de su casa?» A esa chica ya solo se le abrían las puertas de la prostitución.

Una pesadilla es lo que vivieron tantas antepasadas nuestras. La posición moral consiste, como bien sabes, en ponerse en el lugar de las demás. Trata por un instante de ponerte en su lugar, y trata también de ponerte en el lugar de la esposa de ese canalla, ese abusón. ¿Cómo crees que se sentirían aquellas dos mujeres? Aquel hombre importante, que iba destruyendo vidas de mujeres, ya te lo digo yo, porque lo he estudiado, se sentía muy bien, con absoluta buena conciencia. Había hecho algo que se toleraba hacer a los hombres. Formaba parte de lo que se esperaba que podía hacer un buen hombre. Formaba parte de la «debilidad masculina» con la que la sociedad ha sido siempre absolutamente comprensiva.

No digo, amada Celia, que todos los hombres hayan sido así, pero los demás no se decidían a desaprobar en público el comportamiento de sus compañeros. Ha habido siempre una fuerte camaradería entre los hombres para cubrirse las espaldas cuando ha habido sexo de por medio. El sexo ha sido una coartada para portarse como un canalla con las mujeres. Por eso la violación de mujeres apenas ha estado condenada social y judicialmente, hasta ahora.

Los hombres no se han puesto casi nunca en el lugar de las mujeres, nunca la ética les invitó a ello. Solo se ponían en el maldito lugar de su «deseo» y la filosofía moral callaba. Quizá esto no haya cambiado, o no haya cambiado lo suficiente.

Nos dicen a las filósofas que el sexo no puede ser objeto de la reflexión moral, que la moral debe quedar fuera de la sexualidad. Y esperan que obedezcamos sin rechistar: «No moralicéis», «Sacad la moralina del sexo». No sé bien qué diablos es esto de la moralina, si son unas pastillas que frenan la erección del venerado pene, pero sí sé que ya está bien de que nos tomen el pelo a las mujeres. Es hora de que pensemos con libertad lo que nos dé la gana pensar.

En las relaciones sexuales están implicadas personas, generalmente más de una, así que, como en todo tipo de relaciones humanas, hay lugar para las relaciones de poder y para el abuso, y por tanto para la reflexión moral. De hecho, «sexo» se ha convertido en una palabra mágica que limita o impide la reflexión crítica, y que con esta coartada se está convirtiendo en aceptable lo inaceptable.

La pornografía y la doble verdad

El sexo, como todo en esta vida, necesita un aprendizaje, escuchar, ver y ensayar, para luego desechar unas prácticas y quedarte con otras. La necesidad de una educación sexual tendría que ser un clamor en nuestra sociedad. Hay madres y padres que se llevan las manos a la cabeza porque piensan que educar puede implicar sexualizar a la infancia. Su postura es comprensible, pero tal vez no es realista. Y la realidad no se puede ignorar porque te acaba dando un zarpazo, tarde o temprano. Desde que las niñas tienen un móvil, acceden a un mundo en el que la sexualización es la norma. Las adolescentes tienen que conocer otra visión, otras posibilidades de vivir una vida sexual más allá del mensaje «sexualízate», que en realidad es «sexualízate para los otros». El sexo es parte de la vida buena y dependiendo del temario que se aprenda pueden derivarse muchas cosas. Es importante saber qué es posible esperar del sexo y qué son fantasías de un mercado que pretende hacer caja con ello.

La pornografía se ha convertido en una escuela de sexualidad. Como ha escrito Laura Favaro, tanto los medios de comunicación como las ciencias (cierta psicología evolutiva) se vuelcan en mandarte estos mensajes: el porno es bueno, el porno te ayuda, el porno te pone, hazle un hueco en tu vida cotidiana y serás más feliz. Veamos el temario del curso.

Muchos de los vídeos más vistos son de violaciones, individuales y en grupo, violaciones de chicas inconscientes, de padres a hijas, de hermanastros a hermanastras; violan médicos y dentistas, hombres de todas las etnias. ¿Perdón? Muchos de los vídeos más vistos son de primeros planos de chicas llorando y sufriendo. Hay una infinita variedad de vídeos en que los hombres humillan a las chicas o sencillamente se ríen de ellas.

La enseñanza de la pornografía es que las chicas aprendan a satisfacer las múltiples ocurrencias de lo que se puede hacer con una chica para excitarte o para pasar el rato. Francamente, esto no sucede al contrario.

La pornografía se ha convertido en el libro de texto para educar a chicas y chicos en la doble verdad de lo que se puede hacer de forma legítima con una chica a la que considero una igual. Hoy día ningún chico puede insultar, pegar, tirar del pelo o escupir a una joven. De hecho, tampoco quiere hacerlo. Los chicos de hoy apoyan la igualdad y van a las manifestaciones del 8 de marzo. Les asquea la violencia. Pero la pornografía les va a explicar una doble verdad. Que una chica es la que se sienta al lado en su clase, su compañera, pero también esa «zorrita a la que se follan su hermanastro y su padrastro y la muy guarra aún quiere más».

En conclusión: hoy no se puede llamar «guarra», «cerda» o «babosa» a una chica, salvo que haya sexo de por medio. Solo si «a ella le gusta y le excita» no hay problema. Te recuerdo que el «si a ella le gusta» es el nivel de comprensión que existía hace años con los malos tratos a mujeres: «si ella lo acepta» será por algo.

Me preguntan qué pienso de una pornografía alternativa. Pienso que si llegara a existir algo semejante, tendría otro nombre. Es como si me hablas de un racismo alternativo, de un machismo alternativo. La verdad, no lo veo. Si veo y leo muchas historias en las que el sexo es parte de la historia, las hay muy buenas y las hay tirando a malotas. La pornografía es otra cosa.

Este es un libro de ética, es un libro para ver el mundo desde una cierta perspectiva que implica no reírse ni mofarse de la humillación de las otras. Implica negarse a disfrutar cuando joden y violan a una chica, lo haga Zeus o su porquero. ¡Ya está bien! Vamos a ver qué pasa con la pornografía.

La pornografía supone la destrucción activa del «ponte en el lugar de los demás», y el desmedido halago al «ponte en el lugar de tu deseo». ¿No se parece a los mensajes del capitalismo más feroz?

Si la pornografía es el temario de la educación sexual, en la institución de la prostitución se realizan las prácticas.

LA PROSTITUCIÓN COMO ESCUELA DE DESIGUALDAD HUMANA

La prostitución es una institución que destruye la idea de que el sexo pueda estar relacionado con el placer de las mujeres. La prostitución enseña a los hombres que el sexo es una acción que tiene como fin que ellos disfruten, que ellos se corran. Y en ese momento termina. Las prostitutas fingen de principio a fin un placer que no sienten y ellos aprenden que con eso les vale, con que las chicas finjáis. La prostitución enseña a los chicos a desconocer totalmente cómo logra placer una chica. La prostitución enseña a los chicos que el sexo es algo que las chicas hacen por dinero.

Solo por estas razones, Celia, a tu generación le corresponde poner fin a esta institución donde el clítoris no existe, en sentido literal y metafórico. En el literal, porque a las mujeres africanas que llegan para prostituirse puede que se lo hayan extirpado de pequeñas. En el metafórico, porque todo gira alrededor del pene.

La prostitución no es el intercambio de sexo por dinero. En todo caso es el intercambio de lo que el patriarcado llama «sexo» por dinero. La prostitución enseña, además, que no hay límites para lo que se puede lograr con dinero, especialmente en el caso de las mujeres.

¿Cómo es posible que los chicos tengan tanto interés en estar con mujeres que no sienten ningún deseo por ellos, sino todo lo contrario, que sienten el intenso deseo de que terminen cuanto antes y se vayan? ¿Por qué a ellos esto les da exactamente igual? Porque están siendo entrenados para no ponerse en el lugar de las mujeres de carne y hueso. Llegan aleccionados para ponerse solo en el lugar de su deseo.

Fíjate ahora en otra parte de la doble verdad que encarna la prostitución, en otra cara de la posición moral de las mujeres con la prostitución. En esta posición no hay apenas diferencias entre nosotras, la compartimos todas. Las mujeres no hemos querido nunca abrir burdeles donde encontrar chicos jóvenes en tanga, en fila, esperándonos cuando salimos de trabajar, para tomarnos una copa y sobarlos, para disfrutar de que se nos acerquen sin ropa a ofrecernos su cuerpo.

La prostitución es un mundo donde las mafias mueven mucho dinero, pero goza de muy buena reputación, tiene aún muchas defensoras. Por eso hay que utilizar una regla radical para saber lo que es la prostitución, la regla que dice: «De acuerdo, pruébame lo que dices». Cuando alguien te diga en la barra de un bar que es *un trabajo como otro cualquiera*, pídele que te lo demuestre. Yo misma me ofrezco a buscarle los clientes al día siguiente y sin comisiones, todo ganancias. Es una oferta que nadie podría rechazar.

Hay que dejarse de tonterías con el tema de la prostitución. Si una chica quiere prostituirse, que lo haga; si una chica quiere casarse por dinero, que lo haga. Pero de ahí no se sigue que nosotras, el pueblo, tengamos que legalizar un mercado de compra y venta de esposas, un mercado de prostitución. Si damos pasos para que la prostitución se convierta en una institución bendecida por el

Estado, un Estado proxeneta, ¿qué argumentos podrá encontrar una joven sin empleo para no prostituirse? No vamos a tolerar que las niñas que están hoy naciendo en tu ciudad, en Filipinas o en Pernambuco, tengan que acabar dedicándose a la prostitución porque «es un trabajo como otro cualquiera». Tómate un tiempo para pensar en todo esto porque no vas a dejar de leer este tipo de mensajes por las redes: «Soy una prostituta, disfruto como nadie y cobro doscientos euros». ¿A qué estás esperando?

En el tema de la prostitución nos jugamos mucho más que la prostitución. Nos jugamos el propio concepto de lo que es un ser humano y lo que nos toleramos como sociedad que se haga legítimamente con cada una de las personas de este mundo globalizado.

Volvamos a las reglas del método. Una regla buena es tomar los argumentos favorables a la prostitución y valorar cómo suenan en boca de tu padre o, mejor, en boca de Trump. Te sientas a cenar y tu padre te dice: «Celia, siéntate, tu madre y yo pensamos que las chicas pueden prostituirse usando su libertad, y nosotros pagar usando la nuestra». ¿Has pensado en esta posibilidad? Puedes instalarte en la habitación de invitados. Ahora habla el expresidente Donald Trump: «Las putas son las auténticas mujeres libres» (y no esas zorras del Congreso); «Las putas son las mujeres más honradas y transparentes»; «Una mujer vale lo que un hombre está dispuesto a pagarle por hacerlo», bla, bla, bla. Hoy, tal vez, pensativa Celia, las prostitutas son las únicas mujeres de tu ciudad que no pueden decir «no» al acceso a sus cuerpos. No hay nada de insumiso en esta condición. Es todo lo contrario, son las mujeres preferidas de los jóvenes que declaran que para perder el tiempo y el dinero invitando a cenar a una chica y «luego nada», pues para eso prefieren ir directamente con una puta. La mujer que siempre dice «sí».

¿Cómo es posible que existan las violaciones? La aniquilación del sexo como reconocimiento

La filosofía moral aborda la violencia, pero rara vez el tema de la violencia sexual. ¿Por qué? ¿No es acaso profundamente revelador de la condición humana el recurso a la violencia con las personas que tienes justo a tu lado, de las que te llega incluso el aliento? Esta es una pregunta directa a un comportamiento única y exclusivamente masculino: ¿Cómo es posible que existan las violaciones? ¿Cómo se toleran los hombres este comportamiento bajo el paraguas del «sexo»? ¿Cómo es posible —os preguntamos— que un joven o varios sientan placer al *hacerlo* con una joven paralizada, en estado de shock, con una joven que está gritando o suplicando?

Los filósofos, especialistas en pensar, nos tienen que

explicar por qué esto apenas lo han pensado. Estamos esperando una respuesta.

Hay una respuesta muy socorrida en la sociedad que es la teoría del psicópata. Según esta teoría, un violador no es una persona normal, es un enfermo. Los hombres normales no violan, y se quejan de que generalicemos y los metamos a todos en el mismo saco, se quejan de que las feministas consideran a los hombres violadores en potencia. No es cierto, y quien afirma esto debería sentarse a leer unos cuantos libros sobre lo que se denomina *cultura de la violación*, es decir, sobre el hecho de que nuestra cultura siempre haya minimizado e idealizado la violación de mujeres, y que, de paso, haya culpado a las propias mujeres de ponerse en situación de ser violadas; por pasear solas por la noche; por vestirse para provocar a los hombres; por aceptar cenar, bailar o ir a sus casas; por tener ese cuerpo o ese pelo, y, en definitiva, por existir.

Estados Unidos, un país tan avanzado y democrático, ha reconocido un problema con las violaciones en los campus universitarios. El propio Barack Obama, padre de dos hijas y primer presidente negro de Estados Unidos, hizo un sentido llamado a la sociedad: «Tenemos que ser capaces de parar esto». En los campus universitarios no hay psicópatas en el sentido criminal del término, hay ritos de paso y tradiciones gamberras propias de universitarios. Una de ellas es que los chavales se juntan y esperan a que las chicas beban hasta la inconsciencia, luego las violan. Esto se comenzó a descubrir hace muchos años porque algunas estudiantes se quedaban embarazadas y no sabían por qué. El discurso de Obama es del año 2014.

El juicio contra uno de estos chicos violadores se hizo famoso algo más tarde. Érase un joven que andaba por el campus cuando divisó una chica inconsciente en el suelo, se acercó, se bajó la bragueta y la violó. Unos chicos suecos que pasaban por allí lo vieron y, en vez de ponerse a la cola, le denunciaron. Cuando estaba esperando el juicio, el padre del presunto violador escribió una sentida carta al tribunal. Decía que su hijo no era violento y podía pagar un precio muy alto por veinte minutos de acción. Invitaba al tribunal a ponerse en su lugar como padres; el juez del caso expresaba su preocupación por lo que pudiera pasarle al joven en la cárcel. Y ella, ¿a quién le importaba? ¿No había nadie para ponerse en su lugar? Como suele suceder en estos casos, parece ser que no, era invisible. Hasta que tomó la palabra y escribió una carta a la opinión pública: «Tú no sabes quién soy, pero has estado dentro de mí». El estudiante de la elitista Universidad de Stanford solo estuvo tres meses en la cárcel. Salió por buena conducta.

¿Quién no ha sido joven? ¿Quién no hace alguna tremenda gamberrada?

Todavía no había llegado el #*MeToo*, el movimiento

que ha protagonizado la revuelta de las mujeres contra la impunidad de los abusos sexuales en los que se han refugiado tantos hombres con la excusa del «consentimiento».

La cultura de la violación sigue extendiendo sus tentáculos. El mundo de la creación ha contribuido, demasiado a menudo, a idealizar tanto la prostitución como la violación. Ahora se centra en normalizarla desde la pornografía. Es un mundo que no tolera las críticas ni los límites. Para ello, se refugia en varias consignas: «Esto es solo ficción», «Viene un nuevo puritanismo», «Nos quieren censurar». A través de la pornografía y la prostitución van inmunizando y socializando a los chicos, para que no se pongan en vuestro lugar. Hay un videojuego que se titula *Rape Day*, es decir, «El día de la violación», y películas que presentan violaciones como motivo de risa, como expresión de amor profundo a mujeres en coma, a esposas que son dopadas con somníferos. Otro tipo de inmunización es la que se aprende en la prostitución. Si el sexo es algo que se puede comprar por apenas quince euros, tan grave no será tomarlo gratis.

El tema de la violación no es un tema para reflexionar sobre cómo debes encajar la violación en tu vida, si debes dejar que te coma la rabia o si debes levantarte, sacudirte un poco la falda y decir «bueno, es el precio que tengo que pagar por mi libertad». Francamente, no pienso que tengas que pagar ningún precio en forma de sexo por tu libertad. Si el sexo es solo sexo, ¿cómo es posible que una de las partes de la relación acapare tan a menudo la violencia, el abuso, la humillación?

Si recuerdas, querida Celia, cuando empezamos a hablar del sexo lo hacíamos bajo este epígrafe: «El sexo, otra forma de reconocimiento». Y ahora estamos llegando a la conclusión de que la violación es la aniquilación del reconocimiento. Lo que más nos interesa es saber cómo demonios pueden «unos buenos chicos» llegar a hacerlo, cuál es el proceso por el que dejan de ver a un ser humano para ver una chica disponible que tienen debajo. Otra pregunta: ¿se está utilizando el sexo para «desindividualizar» a las chicas? «La mejor mujer es la que está debajo» y expresiones parecidas revelan el borrado de todo rastro de humanidad. ¿Es acaso el sexo un buen invento para poner a las chicas en su sitio? «A ti lo que te hace falta es un buen polvo, un buen pollazo en la cara», acabo de escuchar en una comedia romántica española. ¡Qué paciencia hay que tener!

Nosotras, las mujeres, no podemos llegar a comprender la violación porque *no podemos ponernos en el lugar del violador*, ni bien ni mal, no sabemos en qué puede consistir el deseo de violar, de ver un chico aterrorizado bajo nuestra fuerza como objeto de deseo. Aquí hay una ruptura total porque, cuando una chica imagina una violación, solo podemos tender a ponernos en el lugar de «la violada».

Celia, este no es un discurso ni contra los chicos ni contra el sexo, es contra una cultura que está robando la sexualidad a las chicas, minando las relaciones basadas en la reciprocidad y el placer. Mientras los chicos sean formados por nuestra sociedad para llamar «sexualidad» a lo suyo, y los centros de educación sean negocios privados, algo terminará fallando, siempre.

Pero si escribo es porque soy optimista, hemos dejado atrás situaciones parecidas, peores. Si algo nos ha enseñado la historia es que el cambio es siempre posible. Fíjate, en los tiempos de la esclavitud incluso los grandes filósofos morales aceptaban las violaciones con normalidad. Igual que aceptaban tratar a las mujeres como parte de sus posesiones.

El cambio es posible, el futuro os aguarda, simplemente no se puede tapar *el hedor de los orígenes* sin conocerlo. *Pudenda origo.* (Nota: qué bueno, ¡otra vez Nietzsche!) Tapar los orígenes es al final una tarea imposible. Mejor abrir la caja de «Pandoro» y que salga fuera de una vez todo el lío y el mal patriarcal con el tema del «sexo».

Contra la doble verdad en el sexo y el amor: la insurrección de Espartaco

Mujeres y hombres han tendido a vivir más separados de lo que solemos imaginar. En un momento determinado de la historia, el amor les unió de una manera distinta a como une la demanda de reproducir a la especie y el sexo. En el presente, tal vez estamos regresando de una forma distinta al punto del que partimos. Nuestra sociedad, como muy bien lo explica la socióloga Eva Illouz, está separando de nuevo el amor de la sexualidad. Yo tiendo a añadir, como bien sabes, que hay unas teorías muy críticas con el amor, pero muy poco críticas con todo lo que se hace en nombre del sexo. Como si hacer algo por amor implicara siempre algún tipo de servidumbre y hacerlo por sexo, algún tipo de libertad.

No sé si este *giro sexual* es producto de la libertad y la decisión de las mujeres, de los hombres o de ninguno de los dos, y es, en realidad, un giro más del mercado y del patriarcado. Lo que sí sé es que el amor y el sexo nunca han sido lo mismo para las chicas y los chicos y que a vosotras os corresponde tener *una voz propia* y pensar y decidir juntos cómo queréis que se relacionen amor y sexo en el futuro.

Termino esta reflexión con un momento inscrito con letras de oro en la historia de la humanidad. Un raro momento de esos en que la humanidad entera da un paso hacia delante. Hace unos dos mil años un grupo de esclavos se rebeló contra el poder absoluto y tiránico de Roma. Espartaco fue el líder de aquella revuelta épica por la igualdad. La película *Espartaco* de Stanley Kubrick nos cuenta que su protagonista es un esclavo, un gladiador, y solo posee sus facultades, su capacidad para pelear y conservar la vida un día más, entrenando y matando a sus rivales. A este esclavo, pero varón, como al resto de los gladiadores, le llevan una esclava para que disfrute un rato. Cuando está empezando a tocarla y desvestirla, oye las risas de sus amos, que les están observando. Espartaco se encara y grita: «¡No soy un animal! ¡No soy un animal!». Entonces ella también toma la palabra, le mira y dice: «Yo tampoco soy un animal». Espartaco, que al parecer posee una mente más lógica que muchos filósofos, lo comprende de inmediato y le devuelve la túnica, y ella se viste. De ese modo, están en cierta igualdad, la ha reconocido como a una igual; es una esclava, como él, pero no de él.

    ¿Cómo podrían interpretar esta actitud de Espartaco y la esclava Varinia las defensoras actuales de que «el sexo es una necesidad entre otras, una actividad como otra cualquiera»? Una bien podría reflexionar: «Pobres puritanos, estos dos esclavos al menos podrían haber pasado un buen rato sexual. ¿Por qué no se negaban también a comer mientras les miraban? Vaya par de reprimidos, ¿qué problema tienen con el cuerpo?». Tranquilas, *súper-pro-todo lo que lleva la palabra «sexo»*, que a ella la pasaban luego con otros gladiadores, iba camino del goce sexual.

Espartaco no ha perdido actualidad porque su protagonista rompe de cuajo con el pacto patriarcal, que sí aceptaban los demás gladiadores al convertir en sus esclavas sexuales a las esclavas que eran propiedad de otros. El pacto patriarcal tiene este rasgo especial: una sola persona puede desafiarlo en su vida personal. Una sola persona no puede cambiar la estructura de poder, pero sí renunciar a los privilegios que le concede su posición en ella. Y así, en la última imagen de la película, cuando el ejército de Espartaco ha sido derrotado y este agoniza crucificado, aquella esclava de nombre Varinia le enseña al hijo común y le dice: «Mira, Espartaco, tu hijo será libre». Libre no solo porque va a escapar de Roma; libre, sobre todo, porque no ha sido fruto de una relación de poder, porque Espartaco renunció a ser un putero. Y es que luego ambos se acabaron reconociendo como personas y se enamoraron. Es una película muy bonita.

En películas como esta se fueron forjando los sueños igualitarios de nuestra niñez. La lucha por la igualdad, por construir un mundo mejor, no se nos presentaba solo como un deber, era también una gran aventura. Y por el camino conocías a gente interesante, aprendías, viajabas y hasta te enamorabas. Vuestra generación, con su diversidad y su interseccionalidad, tiene por delante la tarea de forjar sus sueños colectivos. Vosotras vais a decidir cómo relacionar el sexo y el amor y dejaréis ese legado a vuestros descendientes, para dejar atrás la soledad.

5

Del éxito y el fracaso, lo que el dinero no puede comprar

Sobre la soledad: una inmensa soledad interior

Las escritoras jóvenes están hablando de sus vidas y apuntan a «una inmensa soledad interior». La soledad humana siempre ha estado ahí, pero cada generación y cada persona la descubre a su manera; una generación de hijas únicas, a menudo con madres separadas, sin creencias religiosas y formadas en la fe del «ahora que ya hay igualdad» y «la generación más preparada» tiene que experimentar un choque con la realidad que es difícil de interpretar.

La *inmensa soledad interior* es uno de los motores que

han llevado al ser humano a crear muchas de las cosas que te rodean. Una de estas creaciones ha sido las religiones. Las religiones surgieron para tratar de dar consuelo y, sobre todo, esperanza al ser humano. La esperanza de que algún día conocerían una vida mejor, se haría justicia, nos volveríamos a reunir todas de otra manera. Aunque fuera en el más allá. Además, atea Celia, si conversas con Dios, con la Virgen María, con alguno de los miles de dioses y diosas indios o de espíritus japoneses que pueblan el mundo, no puedes sentirte realmente sola.

No estoy hablando en broma. Tú no has recibido una educación religiosa, pero es importante que te des cuenta de la enorme importancia que ha tenido y tiene en este mundo nuestro, para muchas personas, la religión. No te sientas nunca por encima de nadie porque sea creyente y tú no lo seas. Tu abuela era una mujer religiosa, también muchas mujeres trabajadoras. Hasta cierto punto, la fe se tiene o no se tiene, y no sé por qué ha de ser más *cool* la espiritualidad de una hinduista que la de una cristiana.

Se puede sentir una inmensa soledad interior durante unos días, durante un tiempo, pero no es un lugar reco- mendable para vivir una vida buena. Con la soledad su- cede como con el escepticismo, que es una buena posada para pasar la noche, aunque no es un lugar apropiado para construir nuestra casa, para quedarse a vivir. (Nota: estoy con el comodín de Kant.)

Hay un libro que nos encanta cuando somos adolescentes, se titula *El guardián entre el centeno*. Nos gusta por su actitud provocadora, por lo miserable que se siente el protagonista, porque parece que todos los demás están en su sitio mientras que él siempre está fuera de lugar, sobre todo en su propia casa. Detesta a la gente al mismo tiempo que la está buscando, porque no puede, no quiere o no sabe estar solo. Busca desesperadamente que le reconozcan, pero al mismo tiempo no lo puede soportar, porque él mismo no acaba de reconocer a los que le podrían devolver el reconocimiento. En realidad, puede que sea solo el típico egocéntrico insoportable, pero queda muy bien en una novela. (Nota: solo si es guapo, alto y delgado, pero en este caso sí lo es.)

Sin embargo, Holden Caulfield, el protagonista, solo es feliz —si esta palabra tiene sentido— cuando siente que puede y debe proteger a alguien, porque entonces se olvida de su «miserable» yo. Escéptica Celia, no considero realmente que el *yo* sea miserable, sino que el camino hacia nuestra aceptación y crecimiento no pasa por someternos a un continuo autoexamen, como tendemos a hacer cuando no tenemos que proteger ni cuidar a nadie más que a nuestro pequeño *yo*. Al «yo» y a la felicidad, como decía Marco Aurelio, hay que buscarlos a través de la acción y la relación con los demás.

Así que un poco de acción, joven Holden. Acción del

tipo *levántate y friega*. Limpia y ordena. Haz la compra y cocina algo con fundamento para los demás. Pero no, el señorito prefiere, tal vez, buscar el sentido o el sinsentido de la vida yendo con una pobre prostituta que anda por ahí, sin tener el colchón que él sí tiene. Ay, dulce Celia —dulce cuando quieres—, cómo me gustaría poner a fregar y planchar a esos seres atravesados por la angustia existencial, ponerlos a preocuparse por sus mayores, a ser testigos de su deterioro y su enfermedad. Pero los transgresores no se dejan poner a cuidar fácilmente. Son profundos y prefieren conectar con el Absoluto, aunque ¿es que al Absoluto no se llegaba planchando? Tengo que repasar algún día.

En el mismo libro de *El guardián entre el centeno*, Holden escribe: «Me paso el día poniéndome límites que luego cruzo todo el tiempo»; que traducido puede significar «soy un perezoso sin voluntad». Lo sé porque fui así buena parte de mi atormentada adolescencia. Las escenas del libro que transmiten emoción son aquellas en las que aparece su hermana pequeña, cuando el joven Holden parece darse cuenta de que hay gente en el mundo que le puede necesitar, los niños pequeños. Con los niños se pone límites que no cruza. Simplemente, se siente bien con los niños pequeños y quisiera ser su guardián porque, además de necesitarle, le otorgan un reconocimiento incuestionable. Con ellos no hay que demostrar nada, al contrario, cuanto más te infantilizas y haces el ganso, mejor. Vuelves al tiempo en que tu familia te aceptaba tal y como eras: ¡te hacías pis y caca encima e incluso eso les hacía gracia!

Hay una soledad y un aburrimiento que son necesarios para encontrarte contigo misma, y hay que expresarlo así, sin titubeos. Hay unos años para sentir la desolación y luego hay que superarlos. Las jóvenes tienen que perderse y de alguna manera perder el control porque deben romper los lazos que las atan, romper la brutal necesidad de aprobación y reconocimiento que sentimos hacia nuestras madres y padres. Hay que dejar atrás el «mamá, mírame», «mamá, mira cómo me tiro», que en el fondo significa «mira cómo lo hago todo sola, pero sé testigo de ello». Hay que salir de la minoría de edad, buscar otros testigos de tu vida o ser tu propia testiga. Así es, no hay otra, es la vida humana y tiene algunas instrucciones de uso.

Narciso es un eterno menor de edad. Y, la verdad, si un ser humano no crece, acaba siendo un patético ser humano aunque aquellas personas sobre las que tiene poder le rían las gracias. En el peor de los casos, es un ser dañino para quienes le rodean y más allá.

Frente a tantas opiniones encantadas con eso del niño que llevamos dentro, pienso que crecer sin prisa, pero crecer, es dejar de una vez en paz a la niña que hemos sido, dejar atrás el narcisismo, dejar de contemplarte en un espejo y de contemplar tus sueños de triunfo y perfección y tomar tierra. Hoy eres aún una cachorra humana, pero comprobarás, cuando llegue el momento, que es estupendo ser mayor.

Narcisismo, autenticidad y maquillaje

Coge una revista «femenina» y leerás: «Lo que todas estáis buscando: un maquillaje que oculte esos pequeños defectos». Ocultación, simulación... hasta las pestañas tienen que llevar máscara o ser postizas: el mensaje que subyace es que, tal y como eres, nunca estás bien.

Tienes que arreglarte para salir de casa. Eres baja, ponte tacones; estás pálida, maquíllate; tu pelo nunca está bien, de forma, de color, de cantidad. Hija mía, qué dolor, somos una especie de adefesio que hay que retocar antes de salir a la calle.

La otra mitad de los artículos llaman a la vida natural y sin maquillajes o, el colmo, «maquillajes muy naturales», que es como decir «cosas antinaturales muy naturales». ¿Nos toman por lelas? Pues tal vez, porque el caso es que siempre funciona.

Las chicas están siendo llamadas a invertir un buen porcentaje de su inteligencia, su voluntad y sus sueños en sacar partido a sus cuerpos. El mensaje que escuchan es otra vez el de «tu cuerpo es tu mejor recurso». Aquella belleza por la que discutían las diosas del Olimpo y dio origen a la guerra de Troya no parece abandonar su lugar central. A finales del siglo XVIII, Mary Wollstonecraft se rebeló contra la dictadura de la belleza y los estragos que esta causaba en las mujeres de su tiempo: «A las mujeres se les inculca desde la infancia la idea de que la belleza es su cetro, la mente queda sometida al cuerpo y contenida en una jaula de oro, solo parece servir para adornar su prisión».

«Todo comienza con un sueño», leo en otra revista de moda, y lo que hace es anunciar un bolso. Un bolso, un pintaúñas o unos pendientes, qué más da, «persigue tus sueños».

En estas revistas la referencia a la libertad es constante. Se define «la libertad» como «la libertad para atreverse a cortarse el pelo, a llevar tales botas, a mezclar estilos». Este año, ser rebelde es mezclar cuero con seda, lencería con vaqueros. Esta es la cultura de la transgresión, versión moda.

Luego me fijo en que la mayoría de los diseñadores son varones y ¡suelen llevar siempre la misma ropa! Los mismos que construyen la moda como continua variación y novedad, ¡van siempre vestidos igual! Sujétame que ahora sí que me tiro por la ventana, porque o bien yo he perdido el juicio o esto es una tomadura de pelo radical. Antes te vendían las marcas en nombre de la distinción y la auténtica feminidad, luego pasaron a hacerlo en nombre de la comodidad y la mujer moderna, y ahora en nombre de la transgresión y el feminismo.

No quiero decir que no te pongas atractiva, que no te saques partido. Verse guapa y atractiva forma parte de la vida buena, pero no puede convertirse en una cárcel. Piensa que, al final, no puedes estar siempre maquillada. Simular que no somos quienes somos tiene siempre un precio. Hay que valorar con seriedad el daño que provoca a nuestra autoestima el hecho de ver tantas y tantas fotos e imágenes de chicas casi perfectas. De poco sirve que luego se haga el elogio de la diversidad en los desfiles de moda, de que se les llene la boca con la apertura a los cuerpos no normativos. También a estos les venden un modelo: el caso es que nadie pueda evadirse de la idea de que somos cuerpos, y que gastemos una pasta en ellos.

COMER O NO COMER, HE AHÍ LA CUESTIÓN

Uno de los motores de la humanidad ha sido la búsqueda de alimento, la lucha contra el hambre.

Un día una estudiante me contó que su madre la había tenido toda la vida a régimen, que desde pequeña tendía a engordar y le empezó a controlar la comida. Me quedé impresionada y aún sigo estándolo. Me pregunto qué puede sentir una niña cuya madre le dice que está gorda y que tiene que comer menos. Las madres hacemos todo con la mejor voluntad, la de protegeros, y sabemos que las niñas gordas son estigmatizadas en el patio del colegio y fuera de él. Pero ¿qué consecuencias puede tener ese control tan temprano, la mirada de desaprobación de tu propia madre sobre tu cuerpo? Es probable que su conducta sea una consecuencia de que ella misma esté descontenta con su cuerpo. Hay jóvenes que desde que tienen memoria recuerdan a su madre a dieta. Tu madre, toda la vida controlándose, a dieta. La cultura del adelgazamiento se ha convertido en una cultura familiar.

Pero ¿esto qué es? ¿De dónde venimos? ¿Qué nos cabe esperar? ¿Quién soy yo? Las eternas preguntas filosóficas se revuelven buscando comprender algo de esta nueva realidad. ¿En qué sentido es posible hablar del empoderamiento actual de las mujeres si se pasan el día controlando las calorías que consumen, pasando hambre?

Eternas vigilantes de lo que comemos, los trastornos de la alimentación son uno de los síntomas de nuestro tiempo. Y es que existe una relación perversa entre el culto a la comida y la dieta. En nuestro país, como en tantos otros, nos relacionamos a través de la comida, en casa y en los cafés, bares y restaurantes. La presentación de la comida es cada día más exquisita y se multiplican los programas de cocina, pero hete aquí que no podemos comer, no debemos comer, porque engorda.

Una pregunta: ¿es posible tener una vida buena con este buitre royéndote constantemente las entrañas? Este buitre se llama «ganas de comer». Ojalá fuera solo eso. Es el continuo remordimiento por lo que ya se ha comido, el continuo propósito de cambio y mejora, el no tener un momento de descanso porque la comida está ahí siempre, a todas horas.

Déjame que te cuente el mito de Prometeo. Este héroe griego quiso mejorar un poco la complicada vida de los hombres y decidió robar a los dioses el secreto del fuego, que serviría para tantas cosas buenas, como cocer la comida, huir del frío, alargar el día o dejar de lado el miedo. Los hombres, así, se acercarían a los dioses a través del dominio de la técnica. Prometeo robó el fuego, pero el castigo que recibió por tal osadía fue muy duro: un buitre le picotearía las entrañas toda la eternidad, porque no moriría nunca. Ahora bien, ¿qué hemos hecho nosotras para merecer que nos picoteen el hambre y las ganas de comer, un día sí y otro también, las entrañas? La operación bikini se está extendiendo a todo el año. ¿Habrá sido, acaso, porque algunas quisieron mejorar nuestras vidas y les robaron a los hombres ciertos privilegios? Con lo que han luchado nuestras antecesoras por traernos una vida mejor, no vamos ahora a dejar de comer. Tenemos que lograr salir de esta nueva cárcel que da vueltas sobre la comida. A ver si es posible mandar al cajón de la historia, al mismo tiempo, la comida basura, los trabajos basura y todo tipo de relaciones basura.

En el tema del cuerpo y el arreglo, tal vez merezca la pena convocar la teoría del justo medio. Hace tiempo que no asomaba por el libro el gran Aristóteles y ya sentía como un vacío espiritual. Efectivamente, y como dijo Aristóteles, la virtud se halla en *el justo medio* entre dos excesos incompatibles con la vida buena. Es decir, que hay grados y grados en esto de arreglarse. Entre ponerte colorete y acudir al quirófano a pincharte, rellenarte y estirarte la cara, hay algo más que un grado. ¿Qué es eso de rellenar los labios de arriba y cortar y coser los labios de abajo? ¡Socorro, feministas, os necesitamos!

¿Quiénes y cómo están consiguiendo convencer a las jóvenes de que tienen mal hecho hasta el *toto*? No me digáis que esto no es tema de la filosofía porque me enfado, de verdad. No voy a pedir más el pin de la inmunidad. Hasta aquí hemos llegado, señores y señoras de la cirugía plástica, de las farmacéuticas y las pócimas y elixires mágicos.

Las revistas dirigidas a chicas son una suerte de sirvientas de las industrias que ganan dinero con tus inseguridades. No quiero decir con esto que trabajen en ellas malas personas, ni mucho menos. Lo que todas ellas tienen en común es que lo que dicen está condicionado *por el dinero que ganan con ello*. Fíjate en el marido de Alaska, una persona tan empática y humana. Es uno de los famosos que se manifiesta a favor de las intervenciones quirúrgicas: «Todo lo que nos evite sufrir hay que aplaudirlo, y todos los avances médicos lo consiguen, incluidos los de la medicina estética. Si hay cosas que te hacen sentirte mal y lo puedes solucionar, pues adelante».

Pues adelante, anda, rebana tu cuerpo, prepara la cartera. No me puede parecer bien que una persona famosa e influyente recomiende a las jóvenes que se operen partes de su cuerpo.

Rebélate. Si no hay un problema de salud, creo que tienes que hacer todo lo contrario, huir del bisturí y la mesa de operaciones. Date cuenta de que están hablando personas que viven, en parte, de la industria de la imagen. Tienes que sentarte a pensar, antes de actuar. Si tú quieres seguir sus pasos, si quieres desarrollar una profesión en el mundo de la música y del entretenimiento, entonces, tal vez, adelante. Pero, si no es así, siéntate a pensar, antes de meter el cuchillo en tu cuerpo. Espera un poco, estamos en tiempos de cambio.

Del éxito y el fracaso y qué tienen que ver con el dinero

Todo lo que hemos visto como condiciones o partes de la vida buena son cosas baratas; es más, resulta que no tienen precio: la vocación, el trabajo, la amistad, la pareja, la familia, la naturaleza, la tierra que nos rodea, el sexo. Todo ello es gratis; es más, por trabajar, tienen que pagarte.

¿Por qué es entonces tan importante el culto y la devoción al dinero? Es posible distinguir dos tipos de utilidades del dinero. Todas necesitamos dinero para comprar nuestras casas, nuestra comida y nuestra ropa, para viajar y todo lo demás. Pero no me refiero ahora a esto que, con ser importante, no es exactamente «el dinero». En países como el nuestro, temas realmente decisivos como la salud o la educación son de acceso universal y gratuito. Lo son porque los mantenemos con nuestros impuestos todas las personas que trabajamos.

Las otras utilidades del dinero tienen que ver con la *distinción* y el *coleccionismo*, es decir, para distinguirse de los demás y dejar claro que tú puedes tener acceso a unos bienes y otras personas no, desde un desayuno hasta un viaje o un Ferrari. Mira lo que tengo y tú no tienes. En las redes no te enseñan lo que son sino lo que tienen, y si eso es lo que son, solo nos cabe decir: «Madre mía, qué caro se está poniendo *llegar a ser una misma. La otra cosa* asombrosa es que millones de personas de las que no tienen el *brunch* ni el viaje ni el Ferrari, pondrán un *like*. *Me gusta* que tengas tanto dinero, lo mereces, ¡genia, máquina! La impostura es lo que cuesta dinero.

El coleccionismo sí que sale caro. Especialmente cuando lo que quieres coleccionar son seres humanos. Ya hemos hablado mucho del coleccionismo masculino, de ese identificar el paraíso con un harén de chavalas. También hay un coleccionismo femenino, y sabemos que no buscan coleccionar hombres, pero sí tal vez vestidos y zapatos. Entre coleccionistas anda el juego del amasar y amasar dinero. De hecho, al final hemos llegado a los que coleccionan dinero, fortunas.

Narcisismo y repetición de lo mismo: coleccionar dinero, coches, mujeres, casas, vestidos. Estamos ante una sociedad autófaga, insaciable. Me ha gustado mucho el libro de Anselm Jappe, *La sociedad autófaga*. El autor nos recuerda otro mito griego, el de un rey que, por destruir un árbol magnífico, fue castigado a que su hambre no se saciara nunca. Este hambre insaciable es una buena metáfora del carácter insaciable de la acumulación actual de dinero. Del consumo insaciable de los recursos naturales y de la deriva hacia la autodestrucción de nuestra casa común, la Tierra. Hay que acabar con esta sociedad autófaga que todo lo devora e ir buscando una manera más justa y equitativa de repartir los bienes de la tierra.

Por otro lado, no sabemos nunca lo que hay detrás de la vida de la gente que luce sus fotos en la red. Según nos vamos enterando de cómo fue la vida de aquellas actrices y cantantes tan famosas, y ante las que el público se rendía, más nos parece una película de terror. Anorexia, drogas, alcohol, inseguridades, engaños, servidumbres...

Actualmente, muchas chicas y chicos jóvenes, famosos y no famosos, están haciendo públicos sus problemas de salud mental. Los niveles de exigencia y autoexigencia son elevadísimos y muchas no pueden superarlos. Esta es otra señal clara de que ni siquiera quienes vivimos en el primer mundo estamos siendo capaces de encontrar el equilibrio.

¿Qué está sucediendo? ¿Es esta exactamente la sociedad por la que tanto hemos luchado, unidas, generaciones de mujeres y hombres?

Ahora te pregunto yo a ti, porque se me escapan tantas cosas de esta nueva sociedad virtual, no alcanzo a valorarlas bien: ¿son las redes y los *likes* un sustituto del reconocimiento? El *reconocimiento*, recuerda, es el proceso por el que se reconoce nuestra pertenencia a la comunidad humana y, al mismo tiempo, nuestra individualidad, nuestro «ser únicas».

El problema que podría estar dándose es que el reconocimiento en las redes tiene el rasgo de ser insaciable, nunca termina de darse, hay que ganárselo constantemente. La gente parece tener incluso miedo a dejarlas, miedo a dejar de ser aceptada, a ser olvidada; miedo también a que te crucifiquen por no estar ahí, siempre disponible: «Menuda estirada, no contesta los comentarios, ¿quién se ha creído que es?». Se parece más bien a una especie de dictadura: o te portas bien o no hay más *likes*. Venga, cuelga otra foto sexy; venga, enséñanos tu armario y te daremos unos *likes*; enséñanos a tus hijos pequeños, a tus gatos, y te daremos más *likes*.

El *reconocimiento* es bueno, justamente, por lo contrario, porque te da paz, porque te permite hacer otras cosas además de buscarlo. ¿Nos están dando esto las redes?

He leído declaraciones de algunas jóvenes con mucho éxito, con sus millones de seguidores, y parece que detestan la invasión de las redes en su vida, escriben cosas como que en el juego de la fama terminan como esclavas. Escriben mucho sobre salud mental. Celia, he seguido los avatares de estrellas de las series que veíamos cuando eras pequeña y algunas de aquellas jóvenes están teniendo graves problemas para vivir su vida, no voy a decir ya «su vida buena». La niña de *Los magos de Waverly Place* pasó de salir en los periódicos como la protagonista de la foto con más *likes* del mundo a ingresar en un centro de salud mental; la adolescente de *Camp Rock* lleva años tratando de dejar sus adicciones. Estas niñas, estas triunfadoras, han sido estrujadas como limones por las productoras porque daban mucho dinero. No pudieron crecer «a solas», y cierta soledad es necesaria para forjarse un carácter, ya que es insoportable formar parte de un escaparate.

Al diablo con la resiliencia, recuperemos el «carácter»

El ser humano tiene que crecer y hacerse fuerte, forjarse despacio un carácter, a fuego lento. Todo lleva más tiempo del que pensábamos, hacer los deberes, las obras del baño... De este libro, ni te cuento, pues llevo dos años de retraso. Hablando del carácter, otra vez ha salido aquí Aristóteles. Va a tener razón Amelia Valcárcel cuando dice que no nos metamos tanto con Aristóteles, que nos trajo un mundo. El filósofo nos trajo un mundo, pero un mundo patriarcal y, por eso, siguiendo su espíritu estamos dándole un poco a la bayeta.

Hoy en día, apenas se habla del carácter y se habla mucho de la resiliencia. Para empezar, esta última es una palabra enrevesada frente a la indiscutible sencillez y belleza de *carácter*. Pero no es solo una cuestión de estética, sino también de filosofía moral y política.

Si lees algo sobre la resiliencia te explicarán que es una cualidad individual que puedes y debes trabajar, que se encuentra más en las personas que tienden a fomentar las emociones positivas y mirar la vida con optimismo y esperanza; en las personas proactivas, que en lugar de sentarse a esperar buscan la manera de hacer o provocar algo; en las personas que son también flexibles y, cuando saben que no está en su mano cambiar algo, se adaptan y aceptan cualquier cambio, «siempre con la mente abierta y asimilando nuevas ideas», «no necesitan llevar la razón».

El problema es que la resiliencia parece implicar una fragmentación de lo personal, como si pudiéramos entrenar una facultad de resistir por resistir. Como si se tratara del karate. En nuestra vida, importa mucho frente a qué debemos resistir en concreto y por qué, el cómo encajar esa resistencia en tu proyecto y tu concepción de la vida social y política. Con este formalismo de la dichosa resiliencia, lo mismo te adaptas al machismo y al fascismo que a un accidente de coche que, de repente, te ha dejado en una silla de ruedas. No es lo mismo. A lo segundo te tienes que adaptar, a lo primero seguramente no. Sin embargo, la «resiliencia» como concepto vale para todo.

Pero no puede ser lo mismo encajar un golpe del destino que encajar una injusticia en el trabajo asalariado. El golpe se encaja y la injusticia se denuncia.

Ante los golpes trágicos del destino no he visto mayor resiliencia que la de quien se levanta, cocina y dice a quienes le rodean: «Ya está la cena hecha». *Por eso es tan importante que todos los chicos varones de este mundo se levanten, pongan la mesa y llamen al resto a comer.* Mientras esto no suceda, mientras se levanten y encuentren la mesa siempre puesta, estarán descentrados, quizá buscando su centro en coleccionar y coleccionar juegos, cosas, dinero, mujeres. Los chicos tienen que ir cambiando ya el coleccionismo por los cuidados. Nos va mucho en ello.

Una sociedad como la nuestra, donde la desigualdad está aumentando, se analiza, se denuncia y se combate. No se combate con pensamientos positivos. Estamos llegando al terreno de la política, con la que terminaré de forma muy breve lo que quería decirte, mi sol y mis estrellas, adorada hija mía.

Nos queda la tercera parte, referida a la política. ¿Cómo nos vamos a organizar de ahora en adelante? Será muy breve, porque eso ya forma parte del futuro y, más que nada, será cosa vuestra.

Epílogo

De la política

Celia, al final siempre hay que llegar a la política. Hemos dedicado muchas páginas a la ontología y a la ética y ahora solo dedicaré unas notas a la política. No es que la política sea menos importante, todo lo contrario, necesitaría casi un tratado aparte. *La política debe ser el instrumento para cambiar las estructuras que permitan poner fin a la doble verdad*, debe servir para transformar radicalmente los cimientos de un mundo en el que las instrucciones de uso, por así decirlo, han sido radicalmente distintas para mujeres y hombres, y no solo eso, sino que fueron hechas por los hombres.

Dice Hannah Arendt que la política trata del «estar juntos». Es cierto, pero la propia condición humana trata del «estar juntos». Como hemos visto, sin largos años de cuidados sería imposible que los seres humanos sobreviviéramos. No es opcional lo del «estar juntos». La política trata del *estar juntos con algún fin concreto*: para estar más seguros, para dotar de un mejor sentido a nuestra vida, para desarrollar nuestra individualidad o para llegar a ser quienes, poco a poco, seremos.

La política, al igual que la ontología y la ética, también se ha forjado desde esa doble verdad que tanto está determinando la aventura de la humanidad, ha tratado más bien del *estar juntos ellos*. Con sus diversidades y sus desigualdades, con toda su interseccionalidad, los hombres supieron llegar a un cierto consenso, el que ha habido siempre en torno a las funciones de las mujeres y su exclusión del espacio de lo político, del espacio de los que se juntan para algo. Un *contrato sexual*, firmado de forma implícita por los hombres, ha precedido a cualquier contrato social explícito. Las mujeres hemos sido objetos transaccionales, intercambiables, de los pactos entre varones. Lee, aparte de a las autoras ya citadas a lo largo del libro, a Gerda Lerner y a Heidi Hartmann.

Esta exclusión de *todas* fue lo que determinó en su día nuestra constitución como sujeto político. Puede resumirse en una frase sencilla, cargada de razón y emoción: «Nosotras, las mujeres, reunidas, pensamos en la injusticia de la que hemos sido objeto y no queremos este mundo, queremos cambiarlo». Nos convertimos en sujeto político como resultado de una amarga decepción. Nuestros propios compañeros de especie, nuestros propios padres, hermanos e hijos acordaban dejarnos sin derechos, aprobaban que nuestras vidas se sometieran a las suyas. Como escribió alguna feminista, fue para nosotras un largo despertar, demasiado largo ya.

El sometimiento de las mujeres a los hombres no es la única relación de dominación ni la única desigualdad que determina nuestras vidas. Pero es un sometimiento absolutamente específico: el único en el que la parte sometida tiene que asumir y declarar que está encantada de la vida. Tiene que declarar con una sonrisa que vivir para los demás —mientras los otros viven para ellos mismos—, subordinar su vida a los fines de otros, es la decisión más soberana y excelsa de su vida. Yo salgo desnuda y tú sales vestido, bendita libertad. Si existe la *servidumbre voluntaria*, la de las mujeres es la más perfecta y sutil que quepa imaginar. Como bien decía Mary Wollstonecraft, agradecería a mis hermanas que en vez de esforzarse en sacar brillo a sus cadenas hicieran algo por quitárselas. Y de esto trata el feminismo, del «estar juntas para algo». Es una forma de autoconciencia que termina llevándonos a la política para cambiar este mundo porque no es justo y porque estamos convencidas de que podría llegar a serlo.

Tras cientos de años de lucha las mujeres hemos conquistado la igualdad formal en muchos países, en otros no. Pero creo que todas las mujeres del mundo, si pudiéramos juntarnos, estaríamos de acuerdo en una cosa: no queremos este mundo minado por la desigualdad y las dobles verdades, por la hipocresía y la doble moral. Un mundo en el que incluso la casa común está en llamas. Un mundo en el que se ha podido hablar de la guerra contra las mujeres como *la guerra más larga de la historia*, y en el que hay otras guerras, demasiadas, sobre las cuales nosotras no dejamos de pensar que se relacionan entre ellas, que tienen un aire de familia patriarcal.

Las mujeres no queremos este mundo, pero es que además no es «nuestro», nosotras no lo hemos pensado ni organizado. Creo que es la pura verdad. Párate a pensarlo un momento, Celia, ¿cómo íbamos las mujeres a construir un mundo en el que no tuviéramos derechos, en el que quedáramos bajo la tutela, las leyes y el arte de los varones; un mundo en el cual el sentido de nuestra vida fuera reproducir a la humanidad bajo la tutela de la Ley del Padre, venga a parir con dolor hijas e hijos que ni siquiera llevarían nuestro apellido? La verdad, no acabo de verlo, aquí hay algo que no encaja. ¿Cómo íbamos las mujeres a construir un mundo en el que nos diera miedo volver a casa solas de noche, y, en los peores casos, nos diera miedo incluso estar dentro de casa? Hay que verlo con la cabeza fría y expresarlo sin tapujos: este mundo no lo decidieron nuestras antepasadas. En realidad, ya nos lo explicó con fuerza y detalle *El segundo sexo*, pero aún seguimos impactadas, tratando de comprender todas las implicaciones de vivir en un mundo levantado sobre las mujeres como una parte sustancial de los cimientos que lo aguantan y lo sostienen.

Los hombres no se limitaron a hacer un mundo a su medida y semejanza, hicieron un mundo a la medida y semejanza de hombres *con mujeres incorporadas*, hombres con mujeres incorporadas a su proyecto de vida.

A esta comunidad política es a la que estamos tratando de incorporarnos las mujeres como buenamente podemos, poniéndole muchos parches y mucha alegría, porque el mundo que diseñaron los hombres tiene universidades, teatros, bares y bibliotecas, leyes, parlamentos y coches que nos gusta conducir. Pero ha llegado un momento en el que esta sociedad no puede remendarse ni parchearse más: no podemos seguir tratando de incluirnos en una esfera, la de lo público, que depende a su vez de que las mujeres seamos su condición de posibilidad material, simbólica y afectiva. El planeta, la casa común, está ardiendo y la llama de los hogares se está apagando. Las mujeres no vamos a seguir siendo las guardianas del hogar, aunque quisiéramos ya no nos daría la fuerza para apagar tanto fuego.

La incorporación de las mujeres a lo público lo tiene que mover todo necesariamente, y a los hombres, los primeros. Y, con ello, a muchas de nuestras instituciones.

Que nuestro mundo necesita un cambio de rumbo, nadie con cabeza y corazón lo niega. Es necesario pensar mucho y bien este cambio, y tenemos que hacerlo, por primera vez en la historia, mujeres y hombres juntos. Podemos darle la épica necesaria y llamarlo «acontecimiento»: el acontecimiento marcado por una humanidad consciente y reflexiva que se une en un *nuevo proceso constituyente*.

En esta Asamblea Constituyente tiene que escucharse la voz de las mujeres, nuestra autoconciencia expresada en conceptos, valores y fines de la vida. Y no será la voz de la «feminidad», una de las máscaras de nuestra opresión, será la voz de nuestra humanidad, una voz forjada por nuestra experiencia como mujeres en un mundo de hombres. Será una voz que, unida a las otras voces, ponga tanto esfuerzo en el fin como en los medios. Será una sociedad centrada en ofrecer seguridad a todos sus miembros, seguridad material y reconocimiento, y desde ahí cada persona podrá desarrollar su individualidad, su propia vida.

La ética, como hemos visto largo y tendido, nos llama a ponernos límites. La política trata del «ponernos límites juntos». La política tiene que tratar de *los límites que acordamos establecer entre todas y todos para evitar que unos consigan poner a otros al servicio de su proyecto de vida*, y para vivir el nuestro sin miedo a que de repente todo se vaya al diablo. La política trata del «estar juntos para algo», como mínimo para que nadie someta y abuse de nadie, ni en lo público ni en lo privado, ni en el patio del colegio ni en las relaciones internacionales.

¿Para qué otro fin más importante y necesario habría de servir la política?

La política tiene como finalidad organizar nuestros trabajos y nuestras actividades, nuestras relaciones y nuestros sueños, pero tendrá que hacerlo sin tolerar más abusos. La función de las leyes y el Estado es poner límites a las condiciones que rodean eso que luego se llama «el consentimiento». Desde una gran desigualdad es muy fácil extraer el consentimiento de cualquiera, en el espacio de lo privado y en el espacio de lo público. Es posible pensar nuestra sociedad como un conjunto de instituciones. Existen instituciones en las que se aprende e interioriza la prepotencia, el sentimiento de que nuestros deseos son lo primero y único, o, peor aún, *que nuestros deseos son derechos*. Estas instituciones pueden ser abolidas, sustituidas por aquellas en las que se aprende e interioriza que el ser humano es un fin en sí mismo. No solo tú eres un fin, lo son todas y cada una de las personas de este mundo, como escribió Kant, aquel filósofo de la Ilustración. No tratar a los demás como medios es una decisión que surge de tu posición moral individual; poner fin a instituciones como la prostitución, el trabajo precario y la jornada interminable, que se basan en convertir a las personas en medios para proporcionar placer a otros, es una cuestión que tenemos que llevar a cabo juntas, mediante la política y el Estado.

No quisiera dejarte con la impresión de que solo existen cosas malas y negativas de este mundo hecho a la medida de los hombres. No es así. Es el mundo en el que hemos desarrollado nuestras vidas y sueños, donde habéis nacido vosotras y vosotros. Pero si queremos ser justas, no es un mundo bueno para todas y todos. Nosotras hemos nacido en el lado bueno del muro, pero ¿y si hubiéramos nacido en el otro lado?

Si queremos ser justas, podemos pensar que en este mundo hemos alcanzado un enorme progreso científico, tecnológico y artístico. Pero el progreso moral, aun siendo importante —nosotras, las mujeres, somos conscientes de que no querríamos volver ni amarradas a un lugar pasado de la historia, donde siempre estaríamos peor—, no ha llegado ni mucho menos tan lejos. La ciencia y la técnica, e incluso el arte, no parece que hayan estado tanto al servicio de la humanidad como al de un pequeño grupo de humanos. Hoy en día somos testigos de que el progreso técnico elitista y descabezado está poniendo en riesgo nuestra supervivencia en el planeta, la nuestra y la de la naturaleza. ¿Es esto un motivo para estar orgullosos de tanto *progreso*?

El rey de la Creación no puede hoy salir de casa, porque con todos nuestros adelantos tecnológicos estamos en medio de una pandemia. Puede ser el acontecimiento que marque el fin de la prepotencia humana, la llamada a un mundo más consciente de los límites. Nuestra grandeza no pasa por poner una colonia en Marte. ¿De qué nos está sirviendo realmente el mensaje de «ve más allá de tus límites» o «no hay nada imposible»?

El hombre es un soñador, soñó con volar, soñó con ser inmortal, soñó con crear vida, o acaso con tener hijos sin la mediación de las mujeres. No sé, francamente creo que, en estas frases anteriores, donde dice *el hombre* tal vez debería decir *el varón*. Mientras algunos hombres soñaban con estos prodigios técnicos, tal vez las mujeres estaban encerradas en los gineceos y lo que soñaban era con salir de ellos. Y la mayoría de la gente soñaba más bien con que no hubiera ya más guerras. La tecnología siempre ha estado muy ligada a las guerras, y también al desarrollo del capitalismo, al coleccionismo de dinero, tierra, árboles y animales, objetos y mujeres. Hoy en día, el neoliberalismo quiere mover los límites de lo que el dinero puede comprar. Algunos megamillonarios sueñan con un mundo donde el progreso y la técnica les permita *a ellos* alcanzar en buena forma los 150 años. Y a eso, Celia, al sueño de unos pocos, lo llaman de forma muy rimbombante «el transhumanismo», y lo plantean como un sueño de *la humanidad*. ¿Otra vez se está reduciendo la humanidad a un club tan exclusivo?

Si es cierto que no hay nada imposible, vamos a proponernos de una vez por todas acabar con tanta desigualdad y miseria. El capitalismo neoliberal está mostrando una rapacidad insaciable, está suponiendo, cada vez para más y más personas, el fin de la tierra firme y la autonomía desde la que montar una vida. Es necesario plantear como horizonte su desaparición, y vuestra generación tendrá la apasionante tarea de gestionar su sustitución por un sistema más adecuado a las necesidades y sueños de las mujeres y los hombres juntos. Decir que el capitalismo en su forma actual tiene que desaparecer no es ninguna utopía, recuerda siempre que el mercado no es lo mismo que el capitalismo, este tiene un dogma: crecer, crecer y crecer; y, hoy en día, todo lo que sea crecer sin límites desencadena crisis tras crisis que van mermando al ser humano. El milenio trajo una gran crisis económica y se nos dijo que podía convertirse en una gran oportunidad para cambiar el rumbo. Pues ha sucedido justo lo contrario. Los megarricos están cada vez más de moda, se habla de señores «ridículamente ricos» de uno a otro lado del planeta. No es solo que el número de multimillonarios aumente, sino al contrario, es que ya no esconden su riqueza, se atreven a lucirla en las redes: «Mira, soy asquerosamente rico».

¿Cuándo y cómo diablos comenzó todo esto? Recuerdo la escena de una película muy famosa donde el protagonista es un señor muy rico, mientras que la protagonista es una joven pobre, una prostituta. Entran juntos a una tienda lujosa y él toma la palabra: «Venimos a gastarnos una cantidad indecente de dinero». La gente que está viendo la película esboza una gran sonrisa, qué bonito. ¿Cómo se ha conseguido que una escena que debía causar rechazo en un mundo marcado por la desigualdad, nos mueva a una beatífica sonrisa? Una de las claves puede estar en que la frase va destinada a poner en su sitio a unas trabajadoras, unas dependientas malas, muy malas, síii, unas brujas del demonio. Pero quedémonos con la frase: «Venimos a gastarnos una cantidad indecente de dinero ¡en ropa!». Menuda metáfora del patriarcado neoliberal y capitalista: él rico y ella pobre, joven y dispuesta a vender su cuerpo. La película trata del «estar juntos para mostrar lo bien que se puede vivir con tanto dinero». He de añadir que también se disponen a destruir el planeta con gases tóxicos, usando un avión privado para ir a la ópera. Sí, Celia, es *Pretty Woman*.

Un megamillonario sostiene que hay una guerra abierta entre ricos y pobres y que la están ganando ellos. ¿No es lógico y racional enfadarse con el continuo homenaje a los superricos por parte del pueblo trabajador y pagador de impuestos? Nosotras somos de la clase trabajadora, vivimos de nuestro trabajo. Te van a decir: «Bueno, mujer, no te pongas así que es solo una película muy bonita, un cuento de hadas moderno». Sí, era una película, pero se está tornando realidad, porque son noticias habituales que un CEO alquila el palacio de Versalles para una fiesta, otro colecciona Ferraris, otra se gasta treinta mil euros en la celebración de su cumpleaños, una empresa vende un queso por treinta mil euros... ¡Oh, cómo nos gusta!, dale un *like*.

A veces pienso que estas personas que exhiben su megarriqueza en medio de una humanidad desesperanzada deberían ser desterradas de la comunidad humana. No digo que vayan a prisión, pero sí que sean apartadas de la comunidad humana. La verdad, no las queremos con nosotras, que se vayan a vivir juntas a otro lado. Las demás personas formaremos la comunidad política, pensaremos el mundo que queremos y cómo arreglarnos para hacerlo realidad. ¿Acaso no lo ves tú así, no suena razonable? Hinchados de soberbia y vanidad, ¿quiénes se creen que son para vivir de espaldas a la realidad humana? No deberíamos tolerar que el grotesco uso que hacen de su dinero se torne en un espectáculo para unos críos que se pasan el día escuchando que lo tienen muy negro, que no hay futuro.

La desigualdad no es solo una realidad sangrante, es también una idea, un sentimiento, y tiene también que aprenderse e interiorizarse. La desigualdad entre mujeres y hombres es la primera que se aprende y legitima desde los inicios de la crianza. Por eso hemos dado tantas vueltas a la idea de que esta desigualdad es una auténtica escuela de desigualdad humana. Un paso importante para la igualdad en general es la destrucción de esta desigualdad primera que, como hemos visto, todo lo confunde y envuelve. La doble verdad sobre la que se edificó esta casa común tiene que cambiar desde los cimientos, y tampoco se puede abordar bien lo público, recuérdalo siempre, sin tener arreglada nuestra casa por dentro. Luego, cuando todo el mundo tenga un pedazo de tierra firme, si acaso cuando pasen unos miles de años, pensamos en lo de ir a Marte a poner unas colonias.

No tardará en venir alguien a decirte que siempre ha habido injusticias, que no seas ingenua, que es imposible acabar con ellas. Pero, Celia, nosotras ya no somos las de siempre, no somos las de antes, ni nosotras ni la sociedad entera. Ahora sabemos más, somos más conscientes, estamos globalizadas e interconectadas, ahora tenemos los medios, y si no los tenemos, ¿qué diablos hacemos gastando los medios de todas viajando hacia Venus y Marte?

Tantas contradicciones nos están humillando y amenazan con reducirnos a la impotencia.

Vamos a confiar en el futuro. Encontraremos una forma mejor de estar juntos todas y todos. Esperamos mucho de vosotras, porque, como dicen por ahí, sois la generación mejor preparada de la historia. No lo dudo, y como en aquella conversación de película entre madre e hija, solo sueño con escucharte algún día decir estas palabras: «Creo que ya estamos listas».

Agradecimientos

Siento un profundo agradecimiento hacia las personas que me han ayudado a terminar este libro. Ha sido un camino muy accidentado, a veces la vida se pone más difícil de lo habitual y me siento especialmente agradecida.

Gracias a mis hijos, Julia y Marcos, sin ellos nunca me hubiera tomado este trabajo, otros sí, pero este precisamente no. Gracias a Ángel Velázquez por ser un padre entregado, por su apoyo incondicional a mi profesión y por haber leído el borrador de este libro. Gracias a mi hermana María de Miguel, por su apoyo, su vitalidad y sus consejos.

Gracias a las amigas y colegas que han revisado partes de este libro. María Ávila y Eva Palomo, Amalia González y Rosalía Romero, Carmen Lamela y Auri López-Lamela, Manuela del Solar y Juani Merino. Gracias por la escéptica confianza que me generaba escucharos esta frase: «Está fenomenal». Esta es una última gracia para filósofas, «fenomenal» es un poco sinónimo de «superficial», opuesto a «esencial».

Gracias a la editora Yolanda Cespedosa. Me ha complicado mucho la vida animándome a escribir este libro, sin su determinación y empuje no sé si lo hubiera terminado.

Para acabar un mensaje a Paco&Isolina, que hace ya tiempo que viven en nosotros, sus cuatro hijas e hijos, ¡mamá, papá! ¡Gracias por todo, los que hacen lo que pueden lo hacen todo bien!

«Para viajar lejos no hay mejor nave que un libro.»

EMILY DICKINSON

Gracias por tu lectura de este libro.

En **penguinlibros.club** encontrarás las mejores
recomendaciones de lectura.

Únete a nuestra comunidad y viaja con nosotros.

penguinlibros.club

Penguin
Random House
Grupo Editorial

🅵 🅈 🅾 penguinlibros